Primer plano 4

Libro del alumno

Germán Ruipérez García

Blanca Aguirre Beltrán

José Carlos García Cabrero

Esperanza Román-Mendoza

Kurt Süss

edelsa

GRUPO DIDASCALIA, S.A.

Plaza Ciudad de Salta, 3 - 28043 MADRID - (ESPAÑA)
TEL.: (34) 914.165.511 - (34) 915.106.710
FAX: (34) 914.165.411
e-mail: edelsa@edelsa.es
www.edelsa.es

Primera edición: 2003
Impreso en España / *Printed in Spain*

© Edelsa Grupo Didascalia, S.A. Madrid, 2003.

© del texto: Germán Ruipérez García, Blanca Aguirre Beltrán, José Carlos García Cabrero,
          Esperanza Román-Mendoza, Kurt Süss.

Dirección y coordinación editorial: Departamento de Edición de Edelsa.
Diseño de cubierta: Departamento de Imagen de Edelsa.
Diseño y maquetación de interior: Dolors Albareda.

Fotomecánica e Imprenta: Peñalara.

ISBN: 84-7711-460-9
Depósito legal: M-23359-2003

Los autores quieren agradecer a las siguientes personas que les han asesorado externamente:
- María Dolores Castrillo Larreta-Azelain.
- Santiago García Gavín.

Fuentes, créditos y agradecimientos:

Imágenes del vídeo: págs. 20, 21, 38, 39, 55, 60, 72, 73, 88, 89, 107.

Fotografías:
Cordon Press: págs. 23 (a), 25, 26, 38, 45, 48, 56, 86, 91, 96, 99, 102, 104, 114, 117, 120.

Ilustraciones:
Julián Hormigos.

Reproducción de documentos:
Pág. 21: Logotipos de Bolsa de Madrid, Banco de España, Oficina Española de Patentes y Marcas,
          Santander Central Hispano, Caja Madrid, Palacio de Congresos de Madrid.
Pág. 54: Impresos de Solicitud de contrato de tarjeta de crédito y Orden de Pago Internacional (Caja
          Madrid), Reintegro (Caja Duero), orden de domiciliación (Banco Zaragozano), Ingreso en
          efectivo y Transferencias Cheques (Banco Español de Crédito, S.A.).
Pág. 65: Publicidad Tarjeta Pago Fácil Caja Madrid.
Pág. 67: Impreso de abono en cuenta de Cheques (Caja Duero).
Pág. 72: Logotipo de Nokia, Fiat España, Paternina, Camper, Nicoleta, A Company of the Swatch of
          Switzerland.
Pág. 74: Logotipo de El Corte Inglés, Cola Cao, Mercedes Benz España, S.A., Danone S.A.,
          Telefónica, Michelín.

Notas:
- La editorial Edelsa ha solicitado los permisos de reproducción correspondientes y agradece a todas
  aquellas instituciones que han prestado su colaboración.
- Los imágenes y documentos no consignados más arriba pertenecen al departamento de Imagen de
  Edelsa.

UNIVERSIDADE DE SANTIAGO DE COMPOSTELA

La Universidad de Santiago de Compostela acredita una amplia trayectoria en la formación de filólogos y profesores de lengua, así como en la enseñanza del español para extranjeros a través de sus Cursos Internacionales. Su Facultad de Filología se ha convertido, además, en un importante centro de investigaciones, entre las cuales ocupan un lugar destacado las de lingüística aplicada.

Nuestra vocación de apertura a estudiantes y profesores de todo el mundo se une a la convicción de que las lenguas -todas las lenguas- son instrumentos insustituibles no sólo para la comunicación, sino también para el buen entendimiento entre los individuos y los pueblos. Y nos interesa asimismo aprovechar las nuevas tecnologías de la información y la comunicación para mejorar los métodos y procedimientos de enseñanza del español, una lengua de creciente importancia demográfica, económica y cultural.

En este contexto se inscribe nuestra colaboración con los editores de *Primer plano*, un curso para la enseñanza del español como lengua extranjera de carácter renovador, cuya calidad y excelencia viene avalada por nuestros expertos de la Facultad de Filología y de los Cursos Internacionales. Nuestro propósito es el de contribuir desde la investigación y la experiencia docente universitarias al refrendo y a la producción de unos materiales de español para extranjeros acordes con las nuevas exigencias de la sociedad del conocimiento y de la información.

Senén Barro Ameneiro
Rector de la Universidad de Santiago de Compostela

PRESENTACIÓN

PRIMER PLANO 4 es un curso de español para extranjeros centrado en las necesidades comunicativas de estudiantes adultos que desean adquirir un nivel superior en sus conocimientos del español. Está basado en situaciones de comunicación grabadas en vídeo y en una metodología que incorpora las modernas tecnologías de la comunicación.

PRIMER PLANO 4 continúa el proceso iniciado con *Primer Plano 1*, dirigido a alumnos principiantes, y *Primer Plano 2*, dirigido a alumnos con conocimientos básicos. En el tercer nivel presenta una orientación pragmática del proceso de enseñanza-aprendizaje con el fin de desarrollar la competencia lingüística comunicativa (lingüística, sociolingüística y pragmática) requerida para desenvolverse de forma efectiva y eficaz en ámbitos cotidianos y académicos. En el cuarto nivel el ámbito profesional es el que domina.

Para el diseño de PRIMER PLANO 4 se han tenido en cuenta, por una parte, las directrices del Marco de referencia europeo para el aprendizaje, la enseñanza y la evaluación de lenguas así como las precisiones del Plan Curricular del Instituto Cervantes para el nivel superior; por otra, las teorías sobre la adquisición de lenguas y la incidencia de las nuevas tecnologías en ese proceso de enseñanza-aprendizaje.

Las características principales de PRIMER PLANO 4 son:
• Diversidad de situaciones reales de comunicación grabadas en distintos soportes.
• Integración de los aspectos profesionales del mundo hispánico con los contenidos gramaticales y los propiamente comunicativos.
• Presentación y actividades de producción de variados tipos de discurso.
• Interacción con distintos soportes de información.

PRIMER PLANO 4 se compone de los siguientes materiales: Libro del alumno, Cuaderno de ejercicios, casetes/CD, CD-ROM , además del Libro del profesor. Todo ello forma un conjunto en el que están integrados todos los contenidos que aparecen recogidos en el índice del Libro del alumno. Allí se detallan también los temas del Cuaderno de ejercicios (destacados en azul).

El Libro del alumno consta de una unidad introductoria sobre procesos de integración económica y seis unidades o situaciones de comunicación estructuradas en las siguientes secciones:

• **Página de presentación de la unidad** en la que se indican el tema, los objetivos comunicativos, los contenidos lingüísticos, estrategias y técnicas de aprendizaje, tipología de texto y tareas de interacción con las nuevas tecnologías.

• **Secuencias de la vida real** comprende distintas secciones:
  - Prácticas del vídeo compuesta por una doble página que presenta el tema y propone actividades sobre conocimientos previos y preparación para la comprensión de la situación de comu-

PRESENTACIÓN

nicación grabada en vídeo. A continuación se realizan actividades que evalúan el control de la comprensión y desarrollan aspectos socioculturales o sociolingüísticos relacionados con dicha situación.

- Tertulia: por medio de un texto, se propone a los estudiantes una actividad de interacción oral.

- A escena: breve práctica de los exponentes funcionales presentados en el vídeo mediante un juego de rol.

- Permanezca a la escucha: exposición a la lengua oral, mediante la audición de diversos tipos de comunicaciones, con los mismos objetivos pero distintos registros y acentos. Esta sección permite practicar y consolidar las estrategias y técnicas de comunicación, mediante actividades de comprensión y de interacción oral.

- **Encuadre gramatical:** presenta de forma sistemática los aspectos gramaticales y facilita su aprendizaje mediante una amplia variedad de ejercicios.

- **Se rueda:** tiene como objetivo fomentar la autonomía del alumno mediante el planteamiento de enfoques metodológicos basados en tareas, simulaciones, presentaciones o proyectos, que consolidan la integración de los aspectos funcionales y gramaticales y que activan el léxico.

- **Archivo de palabras:** sección dedicada a la revisión, consolidación y ampliación del vocabulario con especial atención a los contrastes entre la variante peninsular y algunas hispanoamericanas.

- **Multimedia:** sección dedicada al aprendizaje por medio de la interacción con tecnologías de la información.

- Tareas en Internet: propone diversas actividades a partir de la consulta de páginas de Internet relacionadas con el tema y la situación de comunicación de cada unidad. Tiene como finalidad profundizar en aspectos profesionales y culturales.

- **Mesa Redonda:** debate a partir de un texto significativo con el contenido del episodio.

CD-ROM: propone un conjunto de actividades interactivas relacionadas con el mundo profesional y de los negocios.

El Cuaderno de ejercicios, además de reforzar y ampliar los contenidos funcionales, gramaticales y léxicos de cada unidad, presenta la sección de "Versión original" con textos representativos del mundo de los negocios, así como un conjunto de actividades orientadas a la comprensión lectora y a la expresión oral y escrita que fomentan la reflexión sobre la lengua y sus recursos y las estrategias y técnicas de comunicación de los estudiantes de español.

Los autores

- Hacer presentaciones y reaccionar (grados de formalidad).
- Describir la organización, cargos y funciones de una empresa.
- Hablar de objetivos, planes y proyectos.
- Expresar eventualidad: duda, certeza, probabilidad.
- Pedir y dar opinión y argumentarla.
- Tomar y ceder la palabra.
- Mostrar acuerdo y desacuerdo.
- Proponer, aceptar y rechazar ideas o sugerencias.
- Indicar que la intervención ha sido mal interpretada.

- Solicitar y ofrecer servicios financieros: banca y bolsa.
- Definir y comparar medios de pago y productos bancarios.
- Expresar propósito y finalidad.
- Hablar de cantidades y porcentajes.
- Informar e informarse sobre trámites y operaciones bancarias.
- Dar instrucciones.
- Hablar del negocio bancario (tradicional y electrónico).
- Indicar oposición y limitación.
- Exponer desconocimiento y pedir y dar aclaraciones.
- Expresar quejas y reclamaciones.
- Establecer y mantener relaciones con la banca por escrito.
- Describir sistemas e instituciones financieras.

- Matices de la entonación: reticencia, insinuación.
- Pronombres y adverbios relativos.
- Futuro imperfecto y perfecto.
- Usos del infinitivo.
- Perífrasis: *acabar de + inf.; dejar de + inf.; empezar / comenzar / ponerse a + inf.; estar por / para + inf.; ir a + inf.; poder + inf.*
- Usos del subjuntivo (duda y probabilidad).
- Oraciones de relativo.
- Conectores: opinión y argumentación.
- Derivación: formación de verbos, nombres y adjetivos.
- g / j.
- Preposiciones.

- Pronombres interrogativos.
- Oraciones finales.
- Oraciones comparativas.
- Oraciones condicionales.
- Oraciones adversativas.
- Preposiciones *a / por / para*.
- Formación de palabras (por fusión y unión).
- Conectores. Comparación, oposición, hipótesis y alternativas.
- Números cardinales.
- Operaciones aritméticas y símbolos matemáticos.
- Multiplicativos.
- Uso de mayúsculas.
- Siglas y abreviaturas.
- z / s / c / ch.

Reglas del discurso y control de la comunicación oral (entonación, gestos, respeto de turnos). Participación en la toma de decisiones: exposición y argumentación en reuniones de empresa.

Pedir aclaraciones; solicitar ayuda lingüística; usos sociales de la lengua; técnicas de aprendizaje de léxico específico; uso del diccionario; reconocer y utilizar conectores; representación gráfica.

Tipos de sociedades; cargos y funciones de una empresa; instrumentos de la comunicación corporativa. Estilos de mando y cultura empresarial.

Sistemas e instituciones financieras servicios y productos bancarios; términos financieros y jurídicos; unidades monetarias; operaciones aritméticas y símbolos matemáticos.

Expositivo y argumentativo; actas de reuniones.

Formales (informes y reclamaciones), correspondencia (relaciones con la banca) y mensajes electrónicos; documentos mercantiles (cheque y letra de cambio); tablas y gráficos.

Creación de una empresa.

Prácticas en una entidad bancaria.

Familiarización con las organizaciones empresariales y obtención de información y asesoramiento para crear una empresa.

Búsqueda de información económica actualizada.

Estilos de mando.

¿Es el dinero realmente un instrumento básico para el funcionamiento de la Economía? ¿Cuáles son las ventajas e inconvenientes del trueque?

episodio 5
REUNIONES DE NEGOCIOS

episodio 6
VIAJE DE NEGOCIOS

• Iniciar y mantener conversaciones telefónicas (grados de formalidad). • Concertar, posponer y anular una cita de negocios. • Recibir e informar a un cliente o visitante. • Hacer una propuesta; aceptarla o rechazarla. • Hablar de usos y costumbres. • Exponer y argumentar explicaciones técnicas. • Iniciar y mantener relaciones comerciales y sociales por escrito. • Transmitir lo dicho o escrito por otros. • Solicitar ayuda lingüística.	• Solicitar y dar información sobre servicios turísticos. • Hacer reservas de transporte y alojamiento. • Hablar de horarios y categorías de servicios. • Informar(se) sobre la organización de ferias internacionales. • Planificar y expresar condiciones de participación en ferias internacionales. • Hablar de trámites del transporte internacional. • Preguntar y dar instrucciones sobre modos de actuación. • Justificar una acción y expresar valoraciones. • Expresar concesión, contraste y oposición. • Intercambiar anécdotas y hablar de aspectos interculturales. • Hablar de condiciones meteorológicas. • Expresar normas y consejos sanitarios para viajes internacionales.
• Adverbios (afirmación, negación, frecuencia). • Distributivos (*cada, sendos, tal/tales*). • Perífrasis de gerundio: *andar/llevar/acabar/estar/ir/quedar/seguir/venir + gerundio*. • Estilo directo e indirecto. • Fracciones. • Conectores: introducir el tema, enumerar argumentos, dar ejemplos y concluir. • Horarios. • Números romanos. • Abreviaturas. • Tratamientos. • r / rr; ñ.	• Indefinidos y cuantitativos (*uno, otro, muchos, todos, algunos, nadie, algo*). • Adverbios de modo. • Conjunciones y locuciones modales. • Verbos defectivos relacionados con fenómenos atmosféricos. • Perífrasis de participio. • Indicativo y subjuntivo en oraciones sustantivas. • Oraciones modales. • Oraciones concesivas. • Interjecciones. • Conectores. Reserva, concesión y oposición. • x, b / v; diptongos. • Abreviaturas y siglas del turismo y comercio internacional. • Acentuación de diptongos.
Tomar notas de una conversación telefónica o de una entrevista oral; uso del teléfono; solicitar ayuda lingüística; recursos paralingüísticos, estilos y estrategias de negociación.	Comunicación no verbal, interpretación y transferencia de información no textual; estadísticas; extraer y organizar información relevante, interacción con soportes de información y comunicación, uso del diccionario, preparar una presentación oral.
Recursos multimedia y desarrollos informáticos para las presentaciones de empresa; fórmulas de la comunicación social y profesional (presencial, por teléfono, oral y escrita).	Medios de transporte, servicios turísticos, mobiliario de oficina, horarios, gastronomía y ocio, asistencia médica, refranes, recursos audiovisuales para la comunicación.
Catálogo, factura, albarán, hoja de pedido, crédito documentario; mensajes electrónicos; tipos de cartas comerciales y sociales.	Documentos de transporte, folletos turísticos, narración y descripción.
Negociación de una operación de compra-venta.	Participación en una feria internacional.
Visita virtual a empresas de comercio electrónico.	Visita de instituciones feriales de España e Hispanoamérica.
Estilos en la negociación internacional.	Comidas de negocios.

episodio 0

El mundo de los negocios

ONU
UNCTAD
NUEVA YORK

WASHINGTON
BIRF / FMI

SANTIAGO DE CHILE
CEPALC

1 **Localice en el mapa las sedes de las organizaciones de cooperación internacional que cumplen los siguientes objetivos:**

a) Promover la expansión económica de sus miembros.

b) Velar por la estabilidad financiera y los tipos de cambio internacionales y financieros en países con problemas económicos.

c) Ayudar a la reestructuración y desarrollo de los países miembros.

d) Negociar la reducción de aranceles y la disminución de las barreras del comercio.

e) Velar por el desarrollo del Tercer Mundo, el medio ambiente y el desarme.

f) Procurar el desarrollo económico y social de América Latina.

g) Mejorar la alimentación de la población perfeccionando la producción y distribución de los recursos agropecuarios.

h) Concretar el ritmo de crecimiento adecuado para la economía mundial, sobre todo en los países del Tercer Mundo.

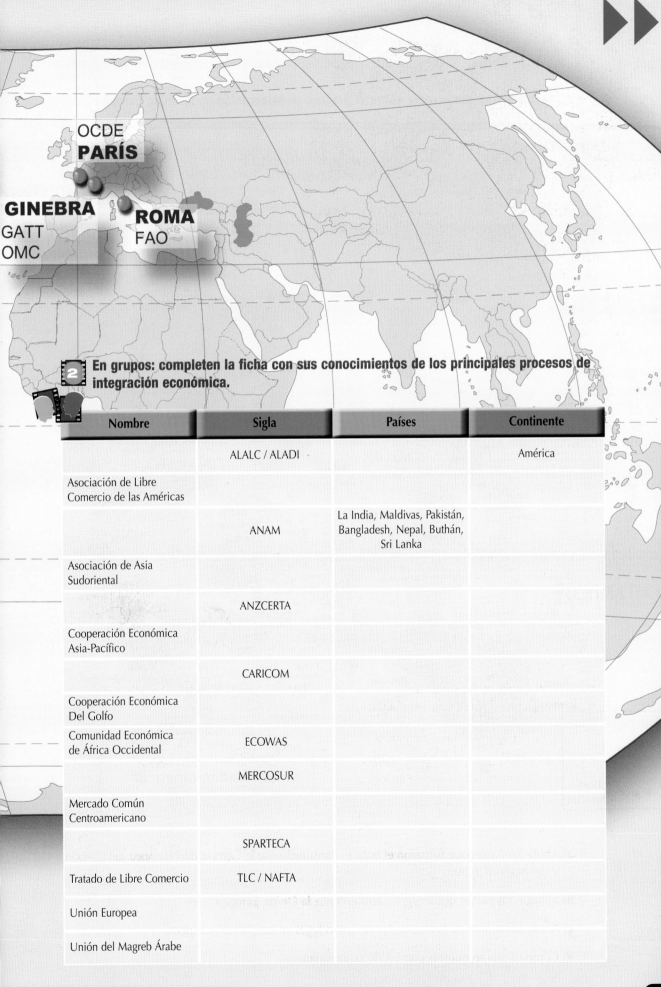

OCDE
PARÍS

GINEBRA
GATT
OMC

ROMA
FAO

2 En grupos: completen la ficha con sus conocimientos de los principales procesos de integración económica.

Nombre	Sigla	Países	Continente
	ALALC / ALADI		América
Asociación de Libre Comercio de las Américas			
	ANAM	La India, Maldivas, Pakistán, Bangladesh, Nepal, Buthán, Sri Lanka	
Asociación de Asia Sudoriental			
	ANZCERTA		
Cooperación Económica Asia-Pacífico			
	CARICOM		
Cooperación Económica Del Golfo			
Comunidad Económica de África Occidental	ECOWAS		
	MERCOSUR		
Mercado Común Centroamericano			
	SPARTECA		
Tratado de Libre Comercio	TLC / NAFTA		
Unión Europea			
Unión del Magreb Árabe			

Antes de...

... escuchar la conferencia sobre el proceso de integración de la Unión Europea

a) Anote los países que firmaron el tratado constitutivo de la Comunidad Europea del Carbón y del Acero (CECA).

b) Indique los países que integran actualmente la Unión Europea (UE).

c) Anote el nombre de las monedas de curso legal en los países europeos.

d) Compare sus respuestas con las de su compañero.

Mientras...

... escucha la conferencia

a) **Localice en el mapa los países, según se fueron integrando en la Unión Europea.**

b) **Escuche la conferencia y complete los datos del texto.**

- El 9 de mayo de 1950, Francia y la República Federal de Alemania crearon el mercado común sectorial de la siderurgia, de acuerdo con el plan de Robert Schuman.

- El 18 de abril de ....1........, Francia, la República Federal de Alemania, Bélgica, Holanda, Luxemburgo e Italia firmaron la ampliación de la Comunidad Europea del Carbón y del Acero (CECA), con el tratado de París.

- El 25 de ....2.... _marzo._ de 1957 se firma el Tratado de Roma, constitutivo de la Comunidad Económica Europea (CEE), por parte de Francia, la República Federal de Alemania, Bélgica, Holanda, Luxemburgo e Italia.

- El ....3.... _primero_ de enero de ....4.... _1973_ se produce la primera ampliación de la ....5...., _Comunidad Europea. EU_ con la adhesión del Reino Unido, Irlanda y Dinamarca.

- En ....6.... _1981_ se crea la Europa de los ....7.... _10_, con la adhesión de Grecia y, en enero de 1986, la .... _doce_, tras la incorporación de ....9.... _España_ y Portugal.

- En 1990 se integran los *Länder* de la antigua República Democrática Alemana y comienza la primera etapa de la ....10.... _Unión Económica_ y Monetaria.

- La cuarta ....11........ _ampliación_, es decir, la Europa de los ....12.... _15_, se produce en 1995, con la ....13.... _entrada incorporación_ de Austria, Suecia y Finlandia.

- El proceso de ampliación está todavía abierto. El 1 de mayo de 2004 con la adhesión de la República Checa, ...14.... _Polonia_, Hungría, Eslovaquia, Eslovenia, Malta, Chipre, Estonia, Letonia y Lituania se conformará la Europa de los ....15.... _25_ .

- Por lo que respecta a la Unión Monetaria, en diciembre de 1995 se adoptó el euro como moneda europea y, a partir de ....16.... _2002_ el euro comenzó a circular como moneda de curso legal y única en 12 países de la Unión Europea (Alemania, Austria, Bélgica, España, Finlandia, Francia, Grecia, Holanda, Irlanda, Italia, Luxemburgo y Portugal).

Antes de...

... empezar el rodaje

a) Complete el cuestionario sobre sus objetivos de aprendizaje de la lengua española y los procedimientos usuales en contextos profesionales:

1. ¿POR QUÉ ESTUDIA ESPAÑOL?

❑ Es una asignatura obligatoria de mi carrera.

❑ Necesito utilizarla como lengua de trabajo.

❑ Voy a trabajar en un país hispanohablante.

❑ Necesito leer textos en español.

❑ Me gusta aprender idiomas.

❑ Quiero vivir en España / Hispanoamérica.

❑ Quiero trabajar como traductor/-a.

❑ Me interesa la lengua y la cultura.

2. PARA SUS ESTUDIOS / TRABAJO NECESITA:

b) Hablar en:

❑ Conversaciones telefónicas.

❑ Presentaciones / Conferencias.

❑ Reuniones de negocios formales.

❑ Reuniones informales.

❑ Exámenes orales.

a) Comprender:

❑ Conversaciones telefónicas.

❑ Reuniones de trabajo.

❑ Presentaciones / Conferencias.

❑ Medios de comunicación.

❑ Exámenes orales.

d) Escribir:

❑ Exámenes de español de los negocios.

❑ Correspondencia comercial.

❑ Tomar apuntes.

❑ Mensajes breves / correo electrónico.

❑ Documentos.

❑ Presentaciones / Informes.

❑ Artículos especializados.

c) Leer:

❑ Prensa general y especializada.

❑ Para traducir textos técnicos.

❑ Manuales especializados.

❑ Cumplimentar documentos.

❑ Para elaborar informes / resúmenes.

❑ Consultar información en Internet.

❑ Exámenes de español de los negocios.

3. SEÑALE LOS ASPECTOS EN LOS QUE NECESITA MEJORAR:

COMPRENDER

ESCRIBIR

HABLAR

GRAMÁTICA

LEER

COMUNICACIÓN NO VERBAL

PROCEDIMIENTOS EMPRESARIALES

CONOCIMIENTOS SOCIOCULTURALES

VOCABULARIO GENERAL/ ESPECIALIZADO

a) **En grupos: revisen los contenidos del Libro del Alumno y comenten los episodios y las secciones que corresponden exactamente a sus necesidades.**

b) **Estudien los materiales didácticos que componen *Primer Plano 4* y anoten los recursos y el título de las secciones más útiles para mejorar:**

La expresión oral

★ ....
★ ....
★ ....
★ ....

La comprensión lectora

★ ....
★ ....
★ ....
★ ....

La comprensión oral

★ ....
★ ....
★ ....
★ ....

La expresión escrita

★ ....
★ ....
★ ....

El vocabulario

★ ....
★ ....
★ ....
★ ....

El estudio y la práctica de los aspectos gramaticales

★ ....
★ ....
★ ....
★ ....

★ ... **Sus conocimientos sobre el mundo empresarial y de los negocios**

★ ....
★ ....
★ ....

La familiarización con los recursos en español en Internet

★ ....
★ ....
★ ....

Sus conocimientos sobre la cultura, usos y costumbres de los hispanohablantes

★ ....
★ ....
★ ....

El Juego de Primer Plano 4

Su objetivo es formar parte del equipo que trabaja en Primer Plano 4.

INSTRUCCIONES PARA JUGAR POR PAREJAS:

1. Sólo pueden actuar en tres situaciones, que deben elegir de entre las siguientes:
- Primeras impresiones en el Departamento de Recursos Humanos.
- Primer día en la empresa.
- En el banco.
- Productos y servicios.
- Reuniones de negocios.
- Viaje de negocios.

2. Sólo pueden contar con 6 ayudas de entre las siguientes:

★ hablar idiomas ★ tener coche ★ llevar teléfono móvil ★ dibujar ★ viajar
★ consultar mapas y guías ★ tener un diccionario ★ leer la prensa ★ utilizar un ordenador
★ consultar al profesor ★ consultar los recursos de Primer Plano 4.

3. Necesitan una ficha y un dado de color diferente para cada jugador.

4. Coloquen su ficha en la casilla de SALIDA.

5. Tiren el dado. Sale el jugador que obtenga la puntuación más alta.

6. Por turnos: tiren el dado y avancen hasta la casilla correspondiente.

7. Si caen en una casilla con el signo ¿, tienen que responder a las preguntas. Si no contestan, no pueden avanzar y se quedan en la casilla que estaban.

8. Si caen en una casilla negra, tienen que hacer la prueba correspondiente. Si no pueden hacerla, se quedan un turno sin jugar.

9. Si caen en una casilla en blanco, pueden hacer a su compañero una pregunta sobre sus conocimientos gramaticales, culturales, de vocabulario o sobre procedimientos en el mundo de los negocios. Si su compañero no contesta, debe volver a la Salida.

10. Si caen en una casilla cuya situación no han elegido, se quedan un turno sin jugar. Si caen en una casilla cuya ayuda no han elegido, se quedan dos turnos sin jugar.

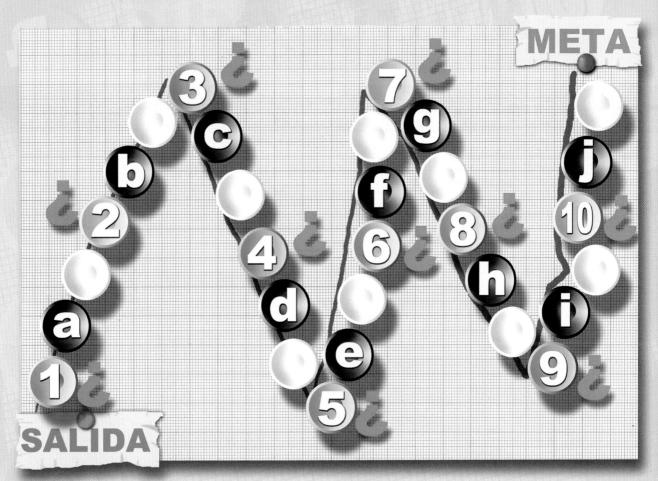

META

SALIDA

PREGUNTAS:

1. **Primeras impresiones:** ¿Qué es lo que hay que hacer para superar una entrevista de trabajo? Puede consultar el diccionario.

2. **Primer día en la empresa:** ¿Qué tipo de información debe recibir un empleado el primer día de trabajo? Puede consultar a su profesor.

3. **Primer día en la empresa:** ¿Puede viajar? Tiene que visitar a unos clientes en México. Mencione los datos más importantes (clima, capital, monumentos, moneda, gastronomía). Puede consultar una guía.

4. **En el banco:** ¿Puede viajar? Su banco le ha destinado a su agencia en Madrid. Mencione los medios de pago más importantes y las instituciones financieras. Puede leer la prensa y consultar el libro del alumno.

5. **En el banco:** ¿Habla idiomas? ¿Cómo se llaman en su lengua original las monedas que circulan en Suiza, Brasil, Reino Unido, Japón y la Unión Europea?

6. **Productos y servicios:** ¿Tiene teléfono móvil y coche? Llame por teléfono para decir que va a llegar tarde a una reunión. La excusa es su coche. Puede utilizar los recursos de Primer Plano 4.

7. **Productos y servicios:** ¿Tiene diccionario? Defina los términos 'marketing', promoción, publicidad, precio y soporte publicitario.

8. **Reuniones de negocios:** ¿Tiene ordenador y teléfono móvil? Al llegar a la reunión se da cuenta de que se ha dejado la documentación en la oficina. ¿Qué hace?

9. **Reuniones de negocios:** ¿Tiene teléfono móvil? ¿Qué hace cuando suena su móvil en el transcurso de una negociación difícil?

10. **Viaje de negocios:** Su presentación en una Feria Internacional ha sido un éxito. Pida un aumento de sueldo/beneficios a su jefe. Puede consultar a su profesor.

PRUEBAS:

a) ¿Habla idiomas? Salude en varios idiomas, formal e informalmente.

b) ¿Puede viajar? Mencione las capitales y las monedas de Perú, Honduras, Costa Rica y Chile.

c) ¿Lee la prensa? Mencione las secciones más importantes de un periódico.

d) ¿Utiliza un ordenador? Busque los periódicos económicos más importantes en español. Puede utilizar los recursos de Primer Plano 4.

e) ¿Sabe dibujar? Dibuje un mapa de Europa y señale las capitales de los países que pertenecen a la Unión Europea. Puede consultar los recursos de Primer Plano 4.

f) ¿Tiene diccionario? Escriba y pronuncie diez partes o accesorios de un automóvil.

g) ¿Sabe dibujar? Pida a su compañero que le describa un producto y su envase y dibújelo.

h) Indique con gestos que no ha entendido nada y que se lo repitan.

i) Mencione tres ciudades que empiecen con "j" y otras tres que lleven una "x".

j) ¿Sabe dibujar? Ha invitado a un cliente a cenar. Dibuje el plano para llegar al restaurante.

Multimedia

Archivo   Edición   Ver   Favoritos   Herramientas   Ayuda

| ← Atrás | → Adelante | ✕ Detener | ↻ Actualizar | 🏠 Inicio | 🔍 Búsqueda | ★ Favoritos | ✉ Correo | 🖨 Imprimir |

Dirección   http://www.home.es.netscape.com/es/   ▾   ↗ Ir a

Situación: Visitar las instituciones de la Unión Europea.

¿Sabía que...? Los Estados de la Unión Europea han diseñado unas instituciones supranacionales comunes que tienen la responsabilidad de desarrollar, dirigir y garantizar la línea política de la Unión Europea. Estas instituciones son: La Comisión Europea, el Consejo de Ministros, el Consejo Europeo, el Parlamento Europeo, el Tribunal de Justicia y el Tribunal de Cuentas. La Comisión Europea está en Bruselas.

Tarea: Redactar un informe sobre las instituciones de la Unión Europea.

Teclee:
- www.europa.eu.int. Para obtener información sobre la composición y funciones de la Unión Europea.

- www.ue.eu.int. Para obtener información sobre el Consejo de la Unión Europea o Consejo de Ministros. Se encuentra en Bruselas y está formado por un representante del gobierno de cada país.

- www.europarl.eu.int. Página del Parlamento Europeo que tiene su sede en Estrasburgo y está formado por 626 eurodiputados.

- www.curia.eu.int. Página del Tribunal de Justicia con sede en Luxemburgo. Está formado por 15 jueces que son designados por los países miembros.

- www.eca.eu.int. Tribunal de Cuentas. Está en Luxemburgo. Su función es controlar el gasto institucional.

- www.ecb.int. Página para obtener información sobre el Banco Central Europeo.

Internet

MESA REDONDA
Ventajas e inconvenientes de una moneda única

Después de leer el listado de ventajas para el comercio mediante la adopción de una moneda única en la Unión Europea, comenten estas ventajas y posibles inconvenientes:

- Mayor confianza de los mercados.

- Estabilidad económica.

- Fomento de los intercambios comerciales.

- Moneda más fuerte.

- Desaparición de las comisiones de cambio de moneda.

- Posibilidad de comparar el precio de los productos en distintos países.

- Viajar por toda la UE sin tener que cambiar de moneda.

CONTENIDOS

OBJETIVOS COMUNICATIVOS:
- Saludar y presentarse.
- Formular preguntas de cortesía y reaccionar.
- Referirse a situaciones y hechos del presente y del pasado.
- Pedir y dar información sobre la ubicación de lugares, organismos y objetos.
- Exponer necesidades y obligaciones personales o requisitos profesionales.
- Solicitar y expresar consejos.
- Hablar de formación académica y experiencia profesional.
- Preguntar y responder sobre circunstancias y actividades laborales.
- Describir instalaciones y mobiliario de una empresa.

CONTENIDOS LINGÜÍSTICOS:
- Género y número de los sustantivos.
- Interrogativos.
- Adjetivo calificativo.
- Usos de *ser* y *estar*.
- Revisión de los tiempos de indicativo: presente, pasado y futuro.
- Usos del condicional.
- Perífrasis de obligación: *haber que + infinitivo*; *tener que + infinitivo*; *deber + infinitivo*.
- Preposiciones.
- Fechas y horarios.
- Puntuación.
- c / k / q.

ESTRATEGIAS DE COMUNICACIÓN Y DE APRENDIZAJE:
Reflexión sobre la comunicación verbal y no verbal. Comprensión y utilización de información no textual. Estrategias de expresión oral, comprensión lectora y adquisición de léxico específico. Tomar notas y hacer resúmenes. Preparar y mantener una entrevista laboral.

LÉXICO:
Organismos e instituciones, actividades empresariales, estudios y formación profesional; mobiliario y material de oficina.

TEXTOS:
Descripción; anuncios de ofertas de trabajo, currículum vítae, carta de presentación, contrato laboral.

TAREA:
Proceso de búsqueda de empleo y selección de personal.

INTERNET:
Búsqueda de empleo a través de Internet.

MESA REDONDA:
Sueldos y horarios "a la carta".

episodio 1
Primeras impresiones

A. Prácticas del vídeo

1 Antes de ver el vídeo:

Por parejas: ¿Cuál sería su trabajo ideal? Rellene el cuestionario y comente sus respuestas con su compañero.

- **Propietario de la empresa**

	Privada	Pública	ONG	Empresa propia
USTED	☐	☐	☐	☐
SU COMPAÑERO	☐	☐		

- **Dimensión de la empresa**

	Grande	Mediana	Pequeña
USTED	☐	☐	☐
SU COMPAÑERO	☐		

- **Ámbito de actividad**

	Local	Nacional	Multinacional
USTED	☐	☐	☐
SU COMPAÑERO	☐		

- **Sector económico**

	Primario	Secundario	Terciario
USTED	☐	☐	☐
SU COMPAÑERO	☐	☐	

- **Continente / país**

	Su país	Otro país	Varios países
USTED	☐	☐	☐
SU COMPAÑERO	☐		

- **Categoría laboral / responsabilidad**

	Presidente	Director Gral.	Director de Dep.	Empleado
USTED	☐	☐	☐	☐
SU COMPAÑERO	☐	☐		☐

- **Jornada laboral**

	Completa	Media jornada	Horario partido	Horario continuado	Horario flexible
USTED	☐	☐	☐	☐	☐
SU COMPAÑERO	☐	☐	☐		

- **Condiciones económicas**

	Sueldo fijo	Sueldo fijo + objetivos	Sueldo fijo + acciones de la empresa
USTED	☐	☐	☐
SU COMPAÑERO	☐		☐

2 Sobre el vídeo.

a) Señale la respuesta correcta. Justifique su respuesta.

		Sí	No	¿?
1.	Los señores Wolf y Sousa trabajaban antes en la misma empresa.	☐	☐	☐
2.	Sousa desearía vivir más cerca de la oficina.	☐	☐	☐
3.	Klaus Wolf no conoce Madrid.	☐	☐	☐
4.	Desde la planta octava hay una vista magnífica de la ciudad.	☐	☐	☐
5.	Todos los edificios que se mencionan son organismos oficiales.	☐	☐	☐

b) **Clasifique las siguientes palabras según su pronunciación.**

cómodo • céntrico • pequeño • oficina • informática • parque • prácticamente
economía • marca • corporación • ecléctico • contratación

C: ....

K: ....

Q: ....

 Después de ver el vídeo:

a) **Relacione la descripción del organis-mo o institución financiera con el logotipo y fotograma correspondiente.**

1. Son los departamentos del Gobierno encargados de dictar las reglas de fun-cionamiento de la política económica y del Sistema Financiero Español.

2. Es la entidad que desarrolla la políti-ca monetaria de España, de acuerdo con la directrices del Banco Central Europeo. Sus funciones más impor-tantes son: realizar las transacciones financieras del Estado, control de cambios, emisión de billetes de curso legal, intervención y disciplina de las entidades crediticias.

3. Está formada por el conjunto de establecimientos que tienen como objetivo captar recursos financieros y transformarlos en préstamos o crédi-tos.

4. En ella se realiza la actividad de compra y venta de los valores o acciones en que se divide el capital de una empresa o Sociedad Anónima (S.A.) que cotiza en el mercado bursátil.

5. Es el registro oficial de un invento o producto nuevo.

6. Es un recinto provisto de instala-ciones apropiadas para la cele-bración de congresos y ferias comer-ciales.

B.Tertulia

 Lean el texto y subrayen los consejos que les parecen más interesantes. A continuación comenten con sus compañeros la actuación que considerarían correcta en una entrevista de trabajo (indumentaria apropiada, saludos, conducta verbal y no verbal).

CÓMO SUPERAR UNA ENTREVISTA DE TRABAJO

En una entrevista de trabajo, la primera impresión es primordial. Sólo tenemos una oportunidad para causar buena impresión y la regla de oro es la naturalidad.

No sólo es importante cuidar la imagen y la indumentaria, sino que hay que llevar el material necesario para la entrevista: una agenda para anotar un posible nuevo encuentro, un currículo idéntico al enviado y una carpeta con la documentación que nos puedan requerir.

Antes de acudir a la entrevista, es conveniente reflexionar sobre los proyectos personales y las metas profesionales que deseamos en la vida.

Otra condición indispensable es familiarizarse con la compañía, a través de sus folletos comerciales o visitando su página *web*.

La forma de estrechar la mano deberá ser franca y segura y la mirada directa. La postura debe ser natural y relajada. Hay que controlar los nervios y no hablar demasiado rápido. Procure utilizar frases cortas y precisas y verbos de acción.

Al concluir la entrevista, es importante reafirmar el interés por el trabajo y pedir datos sobre la próxima etapa de la selección, agradecer el tiempo dedicado y mantenerse sonriente y con la mirada franca y directa.

C. ¡A ESCENA!

 Por parejas: preparen y representen la situación siguiente.

Estudiante A:

Usted recibe en su oficina la visita de un colega. Intercambien preguntas de cortesía (viaje, alojamiento, familia, primeras impresiones, etc.).

Responda a las preguntas que le formule sobre la ciudad, la empresa y describa los edificios o lugares que se ven desde la ventana de su oficina.

Estudiante B:

Después de saludar y contestar a las preguntas de cortesía de su compañero, pregúntele sobre la ciudad y la empresa. También puede solicitarle información sobre el alojamiento y los lugares más interesantes de la ciudad.

D. Permanezca a la escucha

Escuche los resúmenes de los candidatos y complete las fichas correspondientes.

b

Nombre y apellidos: Ignacio Campomanes Rivero.

Nacionalidad: ....

Titulación académica y Formación de postgrado: Licenciado en .... y ....; MBA por el .... de ....

Experiencia laboral: Director de .... y Director de ....

Idiomas: .... y ....

Aficiones: ...., ... coleccionar sellos y monedas.

a

Nombre y apellidos: Lidia Durán Pisa.

Nacionalidad: ....

Titulación académica y Formación de postgrado: Licenciada en Ciencias ...., ... Curso de Especialista en ....,. Curso de experto en .... e Imagen Corporativa, Máster en .... y ....

Experiencia laboral: prácticas en un ....; Adjunta a Dirección en .... y Directora de .... Actualmente es .... de ....

Idiomas: .... y ....

Aficiones: ...., ..., ajedrez y .... e hípica.

c

Nombre y apellidos: Paul Rhys-Morgan.

Nacionalidad: británica.

Titulación académica y Formación de postgrado: Licenciado en Geografía y Máster en .... de Empresas ....

Experiencia laboral: cargos directivos en la cadena de Hoteles Sheraton y Holiday Inn; Director .... del Hotel .... de Barcelona. Actualmente es .... de .... de los Hoteles West Palace.

Idiomas: ...., inglés, ... y ....

Aficiones: ...., ..., ... y practicar el golf.

Por parejas: estudien la oferta de trabajo y seleccionen al candidato más adecuado.

DIRECTOR/A DE *MARKETING*

Requisitos:
- Titulación superior con formación de postgrado (Máster, MBA)
- Experiencia mínima de 5 años en puesto similar.
- Se valorará experiencia en medios de comunicación.
- Capacidad organizativa y de gestión.
- Habilidad negociadora.
- Inglés fluido.
- Entusiasta del deporte en general.

Funciones:
- Establecimiento de estrategias de *marketing*.
- Elaboración de planes de publicidad y promoción.

Remuneración:
- Negociable, en función de la valía del candidato.

Interesados enviar CV al apartado de correos 900, 28080 Madrid. **Ref: DMK/03**

A) Pasado, presente y futuro de indicativo

El modo indicativo expresa los hechos reales y constata la realidad.

	Forma	Uso	Ejemplo
FUTURO	*Futuro imperfecto*	Expresa una acción futura en relación con el momento presente.	Mañana **te daré** una contestación.
	Futuro perfecto	Expresa una acción anterior a otra acción en el futuro.	Ya **habrá terminado** la reunión cuando lleguemos.
PRESENTE	*Presente*	Expresa una acción que tiene lugar en el momento en que se habla.	**Quiero** contratar otra secretaria.
		Puede referirse a una acción en el pasado.	Ese mismo año **empieza** a desarrollar su proyecto.
PASADO	*Pretérito perfecto*	Expresa una acción en pasado que tiene relación con el presente.	**Ha solicitado** un despacho más grande.
	Pretérito imperfecto	Expresa una acción habitual o repetida en el pasado. Se utiliza para describir estado, situación o circunstancia.	En aquellos tiempos, no **cobrábamos** incentivos.
	Pretérito indefinido	Expresa una acción realizada y acabada en el pasado sin relación con el presente. Indica hechos.	**Terminó** la carrera hace mucho tiempo.
	Pretérito pluscuamperfecto	Expresa una acción concluida con anterioridad a otra acción o situación.	Antes de incorporarme a esta empresa, **había trabajado** tres años en Londres.

1 **Complete el texto con la forma apropiada del verbo entre paréntesis.**

Antonio Catalán es un empresario navarro que ....[1]....... (llevar) media vida dedicado al mundo hotelero. Su marcha de la cadena NH, en 1997, de la que ....[2]........ (ser) fundador y presidente no le ....[3]....... (hacer) desfallecer y ahora ....[4]........ (dirigir) con éxito AC Hotels, empresa que próximamente ....[5]....... (salir) a Bolsa.

En 1997 ....[6]....... (decidir) vender, por discrepancias con sus socios, su participación en NH. Ese mismo año ....[7]........ (empezar) a trabajar en su nuevo proyecto, AC Hotels, en el que ....[8]....... (invertir) todos sus recursos. Su espíritu emprendedor ....[9]........ (ser) innato. El mismo comenta: "No ....[10]....... (poder) hacer otra cosa. Culturalmente ....[11]....... (ir) conmigo. Mi padre ....[12]..... (empezar) con un taxi, luego ....[13]........ (montar) una gasolinera y, después, ...[14]...... (poner) un hotel junto a ella". Antonio Catalán, después de terminar sus estudios universitarios, cuando aún no ....[15]...... (cumplir) los treinta años, ...[16]...... (abrir) un hotel en Navarra y desde entonces no ....[17]...... (parar) en el mundo de los negocios. Por supuesto, él ....[18]..... (reconocer) que le ....[19]...... (ayudar) mucho disponer de una consistente base económica.

(Adaptado de Emprendedores, nº 58)

2 Rellene la ficha-resumen de su currículum vítae.

Datos personales:
....

Titulación académica y formación postgrado:
....
....

Experiencia profesional:
....
....

Idiomas: ....

Aficiones: ....

3 Por parejas: preparen la entrevista de trabajo formulando y respondiendo preguntas sobre sus currículum vítae.

- Estudios y titulación, año en que finalizaron.
- Nivel de idiomas.
- Experiencia laboral (empresa, cargo, duración).
- Razones por las que ha elegido otra empresa / quiere cambiar de trabajo.
- Expectativas profesionales.
- Deportes y aficiones.

B) Expresar obligación y necesidad

Forma	Uso	Ejemplo
Tener que + infinitivo	Expresa obligación personal.	**Tengo que solicitar** una entrevista. **Tendrán que llegar** temprano.
	Dar excusas o explicaciones.	Perdona, **tuve que terminar** varias cartas.
Haber que + infinitivo	Expresa obligación impersonal.	**Hay que formar** al personal en nuevas tecnologías.
No tener que / **No haber que + infinitivo**	Niega la obligación.	**No tienes que ir** al banco. ¿**No hay que adjuntar** un currículum vítae?
Deber + infinitivo	Expresa obligación.	**Debo terminar** este informe para mañana.

1 Complete el texto con los términos del recuadro.

mando • liderar • novedades • creatividad • contratados • generacional • cualificados
habilidades • imagen • puestos • trabajar en equipo • escuchar • plantilla • experiencia
candidatos • comunicarse

Marcelo Colom es director de operaciones de la compañía cazatalentos XCELENS. Experto en Recursos Humanos, Colom localiza y presenta .... *candidatos* a sus clientes: grandes empresas que buscan a los ejecutivos más ....2.......... del mercado laboral. *cualificados*

Estos son algunos de sus comentarios acerca del nuevo perfil del directivo: "Hace unos años, un directivo tenía que tener ....3......... *experiencia*, buena preparación académica y capacidad de .... *mando* . Ahora, los más buscados son los que compaginan conocimientos académicos con ....5......... *habilidades* personales, hablan idiomas y dominan Internet. Son profesionales con capacidad mental, capacidad de reacción y ....6......... *creatividad* . También deben saber ....7......... *trabajar en equipo*, ya que es fundamental para tomar las mejores decisiones. Además, tienen que saber ....8......... *comunicarse* con todo tipo de interlocutores y saber ....9......... *escuchar* .

Por otra parte, se ha producido un cambio ....10......... *generacional*, ya que muchos jóvenes están ocupando ....11......... *puestos* de mucha responsabilidad. Esto está provocando ....12......... *novedades* en el modo de vestir, por ejemplo. Muchos ejecutivos visten de manera informal. Pero la ....13......... *imagen* ya no radica en llevar corbata, sino en transmitir seguridad y profesionalidad. Las grandes empresas necesitan personas capaces de ....14......... *liderar* una empresa desde un conocimiento minucioso de todo el proceso y dispuestos a trabajar como uno más de la ....15......... *plantilla* . Dadas las exigencias, los mejores candidatos suelen estar ya ....16......... *contratados* .

2 En grupos: comenten los cambios producidos en el mercado laboral y las necesidades de formación y capacidades personales.

PERFIL ACTUAL:

- Formación ....
- Habilidades personales ....
  ....
- Capacidades, conocimientos ....
  ....
IMAGEN: ....
NECESIDADES DE LAS EMPRESAS: ....
....

REQUISITOS } ....

PARA SER ....

DIRECTIVO ....

HACE AÑOS ....

C) Usos del condicional

Forma	Uso	Ejemplo
Condicional simple + infinitivo	Expresa una acción futura posible.	**Tendrías que vivir** más cerca del centro.
	Expresa deseo, cortesía.	**Me encantaría no tener** que madrugar. ¿Le **importaría decirme** qué hora es?
	Expresa probabilidad en el pasado.	Si no te llamaron es porque no **te seleccionarían**.
	Expresa consejo (posible).	Yo que tú, **solicitaría** aumento de sueldo. **Deberías jugar** al golf.
Condicional + haber + participio	Expresa consejo (imposible).	**Deberías haber terminado** este proyecto.
Condicional compuesto	Expresa acción futura y acabada con relación a otra acción pasada.	Nos explicó que **habríamos podido** asistir a la reunión.
	Expresa consejo (imposible).	**Habrías tenido que perfeccionar** tu español.
	Expresa probabilidad.	De haberlo necesitado, **habríamos contratado** a un experto.

1 Lea las respuestas de la entrevista al Director de Recursos Humanos del Banco Interamericano de Desarrollo y redacte las preguntas correspondientes. A continuación, compare sus preguntas con las de su compañero y comente las posibilidades de trabajar en esta organización.

a) El BID fue fundado en 1959 como iniciativa de los países latinoamericanos y es la institución más grande y antigua de desarrollo regional.

b) Esta organización, compuesta por 46 países y en la que trabajan más de 3000 personas, se encarga de proporcionar financiación a proyectos para el desarrollo económico y social en países de América Latina, con objeto de facilitar la recuperación de los países después de desastres naturales y mantener la estabilidad económica y facilitar las reformas.

c) En el mundo actual, multicultural y en un proceso de globalización, las fronteras culturales y nacionales son cada vez más artificiales. Yo animo a los jóvenes a que se atrevan a tener una experiencia internacional. Mi consejo sería empezar con estudios en el extranjero, con programas Erasmus por ejemplo, que están ayudando a crear esta nueva mentalidad.

d) Buscamos profesionales con mucha experiencia. Por lo general, los candidatos deben poseer titulaciones de postgrado, máster o equivalente, dominar al menos dos idiomas de los oficiales del banco (español, inglés, francés y portugués) y tener un perfil concreto de especialista en desarrollo social, recursos naturales, infraestructuras o finanzas, también capaces de establecer y ejecutar o evaluar proyectos.

e) Los jóvenes tienen muchas oportunidades con nuestro Programa de Jóvenes Profesionales, en las áreas de economía, finanzas, leyes, educación y salud. Éste podría ser un excelente punto de partida para seguir una carrera en el BID. Recientemente ha surgido la necesidad de reclutar profesionales de comercio, las relaciones laborales, el medio ambiente y el desarrollo de la mujer.

f) La política de remuneración del BID se basa en la competitividad para atraer a los mejores profesionales. Además ofrecemos un paquete de beneficios que incluyen seguro médico, de vida, un plan de jubilación, subsidio para la educación de los hijos y viajes al país de origen.

(Extracto adaptado ABC/Nuevo Trabajo, 10 de noviembre de 2002)

2 Usted quiere hacer un curso para trabajar en el BID.

 a) Escuche los anuncios de los siguientes cursos y complételos.

 b) Por parejas: pidan consejo o valoren la necesidad de hacer alguno de los siguientes cursos para poder trabajar en el BID.

INSTITUTO DE LENGUAS PARA PROFESIONALES

b

- Inglés
- Español
- ....
- Italiano
- Portugués

Horario: .... + empresas
Todos los niveles. .... nativo

---

a

INSTITUTO DE DIRECTIVOS DE EMPRESA ..../INTERNET

PROGRAMAS MÁSTER
- Asistencia/ ....
- 600 horas lectivas.

- MBA Internacional.
- Máster en Medio Ambiente.
- Máster en Práctica ....
- Programa para el desarrollo de actitudes y .... personales y directivas.

Horario:
- viernes: 17:00 - 20:00 horas
- sábados: 10:00 - 14:00 horas

---

c

.... PARA EL DESARROLLO
Curso de Dirección de ....
400 horas Presencial/Distancia.
Octubre-Mayo

---

d

INTERNET TRAINING CENTER

La Escuela de .... de las Nuevas Tecnologías.

Máster en Aplicaciones .... con Java, Oracle, XML.

Información: 9:00 - 18:30 h.　　　　Teléfono: 913 354 720

D) Usos de *ser* y *estar*

SER — Se usa para expresar:		
- Identidad.		
- Origen y nacionalidad.		
- Profesión.		
- Descripción de personas, objetos y lugares.		
- Materia.		
- Localización en el tiempo.		
- Propiedad.		
- La hora.		
- Explicar el contenido y expresar opiniones subjetivas. *Es evidente, --*		
- Valoración de actividades, cualidades de las personas. *No es justo, que*		

ESTAR — Se usa para expresar:
- Localización en el espacio.
- Estados físicos y anímicos de las personas.
- Circunstancias o estados de objetos y lugares. *es oscuro.*
- Acciones continuas.

SER y ESTAR + adjetivos			
Ser + adjetivo	Presenta las características inherentes del sujeto, percibidas como permanentes por el hablante.	*La empresa **es** muy rentable.*	
	Se utiliza para dar una valoración objetiva.	*Es un política de empleo muy ética.*	
Estar + adjetivo	Presenta las características que el hablante siente como temporales o relativas.	*La Bolsa **está** inestable.*	
	Se utiliza para opinar sobre una actividad o período de tiempo.	*Tu presentación **ha estado** muy bien.*	

1 Estudie el anuncio y complete el resumen.

a) Tipo de empresa: . . . .

b) Sector/Actividad: . . . .

c) Cargo o puesto que ofrecen: . . . .

d) Funciones: . . . .

e) Requisitos: . . . .

f) Condiciones de la oferta: . . . .

g) Forma de contactar con la empresa: . . . .

R.S.A.

Grupo internacional especializado en diferentes áreas de consultoría, con oficinas en Argentina, México, España y Venezuela:

SOLICITA EJECUTIVOS/AS

Precisamos:

- Licenciado universitario.
- Inglés y/o alemán.
- Residencia en España, Europa o Estados Unidos.
- Capacidad de gestión, motivación y flexibilidad.
- Se valorará experiencia en desarrollo de proyectos.

Ofrecemos:

- Incorporación a un grupo en expansión.
- Remuneración atractiva + incentivos y beneficios sociales.
- Proyecto internacional en la Costa del Sol.

Se ruega a los interesados enviar CV y fotografía reciente a
R.S.A, Avenida de la República Argentina, 65, Sevilla- 41010 o bien a recursoshumanos@rsa.es

2 Escuche los extractos de las entrevistas a dos candidatos y anote los siguientes datos y valoraciones.

	Candidato 1	Candidato 2
a) Titulación:		
b) Experiencia profesional:		
c) Idiomas:		
d) Impresión general:		
e) Seguridad:		

3 En grupos: comenten su valoración sobre la actuación de los candidatos y decidan cuál es el candidato más idóneo para el puesto de ejecutivo/a.

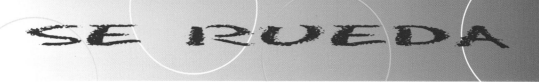

SE RUEDA

Después de terminar sus estudios, desean buscar trabajo en un país de habla hispana. Preparen la simulación del proceso de búsqueda de empleo: análisis de las ofertas de trabajo, solicitud de empleo y entrevista de candidatos.

a) Análisis de las ofertas de trabajo

 Lea los anuncios rápidamente y subraye los términos que no entiende para preguntárselos a su profesor o buscarlos en un diccionario.

a)

Secretaria de Dirección Bilingüe para el Dpto. de Recursos Humanos

Ciencia y Progreso

Requisitos:
- Titulación acorde con el puesto.
- Dos años de experiencia en puesto similar.
- Imprescindible bilingüe en inglés.
- Imprescindible conocimientos avanzados del paquete Office y Lotus Notes.

Funciones:
- Gestión de Agenda: viajes, reuniones, etc..
- Reparto y gestión del correo.
- Elaboración de presentaciones.
- Atención y gestión de *e-mail*.
- Preparación y coordinación de reuniones.
- Atención del teléfono.
- Soporte al resto del equipo de RRHH.

Busca la referencia 782290 en Ofertas de empleo. www.infoempleo.com

b)

Empresa líder en Telecomunicaciones con ámbito nacional Consultora de Telefónica

selecciona

17 COMERCIALES

Para venta productos de comunicación y servicios de TELEFÓNICA DE ESPAÑA

Imprescindible:
- Experiencia y conocimiento de los productos.
- Buena presencia.
- Afán de superación.
- Se valorará haber trabajado con algún otro consultor homologado.

Se ofrece:
- Alta en la Seguridad Social, sueldo fijo + comisiones según objetivos. Contrato indefinido. Fuertes incentivos por ventas.

Enviar *curriculum* (imprescindible foto) a: Apartado de Correos 17.167 • 28080 Madrid

c)

IMPORTANTE GRUPO EMPRESARIAL

Necesita cubrir en sus oficinas de Madrid, un puesto de:

ABOGADO
Ref.: ABO

Se responsabilizará de asuntos administrativos y contencioso-administrativos

Perfil del candidato:
- Licenciado en Derecho.
- Edad entre 35 y 45 años.
- 8 años de experiencia mínima en todo tipo de contratos administrativos, procedimientos contencioso-administrativos, negociación con las distintas Administraciones Públicas, etc...
- Dedicación completa.

La empresa ofrece:
- Salario a convenir según aptitudes y experiencia.
- Incorporación inmediata.
- Contrato indefinido.

• • • • • • • • • • • •

Las personas interesadas en esta oferta deben escribir con urgencia al Apartado de Correos nº 5.340 de Madrid (28080), aportando currículum vítae e indicando pretensiones económicas la referencia ABO.

d)

INGENIERO INDUSTRIAL MARKETING

Solicita importante empresa perteneciente a grupo alemán, fabricante de equipos de Telecomunicación para su sede en Andorra. Se responsabilizará de la expansión de varias líneas de producto para distintos sectores del mercado, en diferentes países. Se requiere: nacionalidad europea, carnet de conducir y vehículo propio. Habituado a trabajar con productos tecnológicos y dirección de equipos humanos. Idiomas: alemán, inglés, francés e italiano.

Retribución NETA inicial: 25.200 euros anuales. Interesados/as escribir adjuntando foto al e-mail: teleco@mi.com

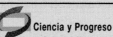 **Tome notas para contestar a las siguientes preguntas.**

a) ¿Qué tipo de empresas ofrecen los trabajos?
b) ¿Qué diferencia hay entre la titulación académica y el puesto que se ofrece?
c) ¿Exigen experiencia?
d) ¿Qué idiomas hay que dominar y a qué nivel?
e) ¿Se limita la edad del candidato/a?

3 Complete el cuadro-resumen.

La empresa	A	B	C	D
Requiere				
Ofrece				
Valora				

4 Por parejas: intercambien sus opiniones sobre las distintas ofertas y elijan uno de los anuncios, explicando a su compañero las razones de su elección: formación académica, experiencia laboral, ambiciones, retribuciones, retos que plantea, lugar de trabajo, etc.

b) Solicitud de empleo

1 Complete la carta de presentación para solicitar el empleo que ha elegido.

Sus datos

Lugar y fecha

Destinatario

Ref.:

En respuesta al anuncio publicado en .... en el que solicitaban .... para su Departamento ....
les remito mi currículum vítae.

Estoy muy interesado/a en trabajar en su empresa y, por mi formación y
experiencia profesional, me considero preparado/a para las funciones
que especifican en su oferta de trabajo. Por estas razones, les solicito
una entrevista con el fin de exponerles personalmente mi trayectoria
profesional.

Esperando recibir noticias suyas, les saluda atentamente,

Firma

Anexos:

2 Por parejas: ¿Cómo se hace un currículum vítae? Lean el texto para solicitar y dar consejos sobre la redacción de un CV.

Estudiante A:

Solicite consejo a su compañero sobre los tipos de currículum y el contenido.

Estudiante B:

Conteste a su compañero los consejos que le solicite.

EXISTEN BÁSICAMENTE TRES TIPOS DE CURRÍCULUM:

a) Cronológico convencional: es un modelo claro y sencillo. Consiste en relacionar primero los estudios y las experiencias profesionales más antiguas y terminar por las más recientes. Su ventaja es que permite ver la evolución del candidato. Es el más adecuado para la persona que busca su primer empleo.

b) Cronológico inverso: se comienza reflejando los datos más recientes. Es adecuado para los candidatos con mucha experiencia profesional o cursos de formación.

c) Funcional: se agrupan las actividades en bloques independientes. Es recomendable para personas que tienen una amplia experiencia laboral y, por el contrario, una formación académica insuficiente.

RECOMENDACIONES GENERALES:

- Un buen currículum no debe exceder de dos páginas y debe ir acompañado de una carta de presentación que debe ser fechada y firmada y nunca grapada al historial.

- Debe incorporar cuatro grupos de datos: personales, académicos, experiencia profesional y otros datos de interés.

- Debe cumplir el esquema AIDA: atraer la Atención, Suscitar el Interés, Despertar el Deseo e Incitar a la Acción, es decir conseguir ser preseleccionado.

- Debe escribirse en papel de buena calidad, de tono marfil o crema claro, en impresora de ordenador de alta definición.

3 Redacte su CV siguiendo las pautas del ejercicio anterior.

c) Entrevista de candidatos

Solicitud de entrevista por teléfono:

a) **Relacione las preguntas con las respuestas.**

b) **Escuche la conversación telefónica para solicitar una entrevista de trabajo y compruebe.**

a) Nautilus, dígame.	1. Adiós, muchas gracias.
b) ¿Me dice la referencia, por favor?	2. Sí, perdone. Es SD/23.
c) ¿Puede venir el próximo miércoles, a las doce?	3. ¿Por quién pregunto?
d) Nuestras oficinas están en la Plaza de Cataluña, número 8, Edificio Nautilus.	4. Buenos días. Le llamo por el anuncio del periódico para un puesto de secretaria.
e) Pregunte por el señor Marín.	5. El próximo miércoles es día veinte... ¿A las doce? De acuerdo. ¿La entrevista es en Madrid?
f) Adiós, buenos días.	

Preparación de la entrevista:

a) **Completen el siguiente cuestionario y compare los resultados con su compañero.**

- Numere del 1 al 5, por orden de importancia para usted:

  ❑ Dinero.

  ❑ Compañeros de trabajo.

  ❑ Interés del trabajo.

  ❑ Retos del trabajo.

  ❑ Seguridad en el empleo.

  ❑ Cultura empresarial.

- Marque lo que considera positivo (+) y lo que considera negativo (-):

  ❑ Ser arrogante, prepotente.

  ❑ Tener capacidad de adaptación.

  ❑ Ser amable.

  ❑ Tener una preparación deficiente.

  ❑ Mostrar seguridad en uno mismo.

  ❑ Tener capacidad de iniciativa.

  ❑ Ser pasivo, indiferente.

La entrevista en grupos de tres.

Estudiante B:

Es el candidato. Debe revisar el CV que ha presentado y la oferta que ha elegido para preparar las respuestas de las posibles preguntas del entrevistador.

Estudiante A:

Es el entrevistador. Debe leer la carta de presentación y el currículum vítae del candidato, así como analizar el puesto de trabajo que solicita, para preparar las preguntas personales y profesionales que va a plantearle durante la entrevista.

Estudiante C:

Es el observador. Debe tomar notas sobre la cualificación y actuación de los alumnos A y B y presentar un informe ante el resto de la clase.

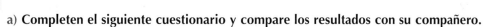

4 Lea el contrato e indique la cláusula donde figura.

a) salario

b) período de vacaciones

c) finalización del contrato

d) domicilio de trabajo

e) jornada laboral

f) duración del contrato

g) legislación aplicable

h) categoría laboral

Reunidos en Madrid a 2 de abril de ....

1. De una parte Don .... y DNI nº ...., mayor de edad, empresario, con domicilio en ...., representante legal de la mercantil XXXXXXXXXXXX S.L.

De otra parte Don ...., mayor de edad, con domicilio en .... y DNI nº ....

Actúan en su propio nombre y representación y declaran que reúnen las condiciones necesarias para celebrar el presente contrato de trabajo y acuerdan formalizarlo con sometimiento a las siguientes

CLÁUSULAS

Primera.- El trabajador prestará sus servicios a la empresa como ....[1]............. .

Segunda.- El centro de trabajo en el que se realizará la prestación de servicios se encuentra en ....[2]............. .

Tercera.- La jornada de trabajo será de ....[3]...... horas semanales, prestadas del siguiente modo, con los descansos establecidos legal y convencionalmente.

Cuarta.- La duración del presente contrato será ....[4]....... .

Quinta.- El trabajador recibirá una retribución total de ....[5]........ euros brutos.

Sexta.- La duración de las vacaciones anuales será de ....[6]........ .

Séptima.- El presente contrato se regulará por lo dispuesto en la legislación vigente ....[7]........ .

Octava.- Ambas partes se comprometen a comunicar el fin de la relación laboral ....[8]........ .

Novena.- Se pueden incluir cláusulas adicionales.

Y para que conste, se extiende este contrato por triplicado en el lugar y fecha indicados, firmando las partes interesadas.

El/La representante empresarial

El/La trabajador/a

1 Complete la oferta de empleo con las palabras del recuadro.

oferta • experiencia • incorporación • edad • pretensiones • Derecho • indefinido • aptitudes • laboral • abogado

IMPORTANTE GRUPO EMPRESARIAL NECESITA ....

PERFIL DEL CANDIDATO:

• Licenciado en ....

• .... entre 35 y 45 años.

• 8 años de experiencia en derecho ....

....

• Dedicación completa.

LA EMPRESA OFRECE:

• Salario a convenir según .... y

.... inmediata

• Contrato ....

Las personas interesadas en esta ....
deberán solicitar entrevista por
teléfono: 932 34 67 89 o enviar su CV,
indicando .... económicas. **Referencia ABO.**

2 Diseñe su propio despacho, distribuyendo el mobiliario y los objetos de oficina. A continuación, describa su despacho a su compañero utilizando las preposiciones y comparen las diferencias.

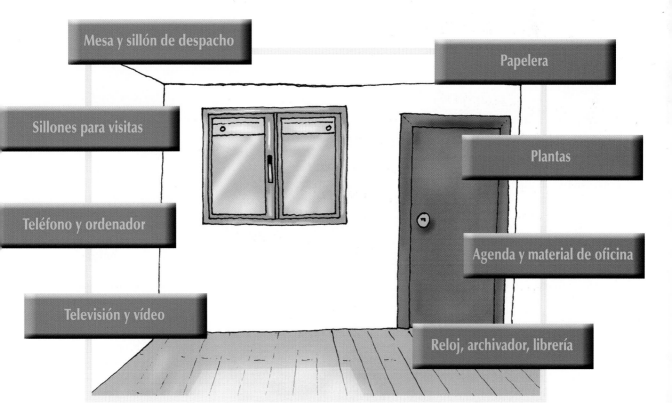

Mesa y sillón de despacho

Papelera

Sillones para visitas

Plantas

Teléfono y ordenador

Agenda y material de oficina

Televisión y vídeo

Reloj, archivador, librería

Multimedia

Archivo	Edición	Ver	Favoritos	Herramientas	Ayuda

← Atrás	→ Adelante	✕ Detener	⟳ Actualizar	⌂ Inicio	🔍 Búsqueda	✱ Favoritos	✉ Correo	🖨 Imprimir

Dirección http://www.home.es.netscape.com/es/   ▼   ➦ Ir a

Situación: Búsqueda de empleo a través de Internet.

¿Sabía que...? Internet se ha convertido en una gran bolsa de trabajo. Las empresas utilizan la red para buscar a sus profesionales y los candidatos consultan las ofertas de empleo de los distintos portales, incluyen sus currículos o reciben en sus correos electrónicos las ofertas que se ajustan a sus necesidades o perfiles.

Tarea: Buscar información sobre ofertas de empleo, técnicas para hacer entrevistas y currículum vítae.

Teclee:
- www.infoempleo.com. Para consultar el servicio de asesoría para elaborar currículos y conocer las técnicas de la entrevista. También puede obtener información sobre el mercado laboral.

- www.jobline.es, www.jobpilot.es, www.laboris.net, www.topjobs.es. Para acceder a otros portales de empleo.

- www.jobsadverts.com. Para buscar ofertas en cualquier parte del mundo.

- www.ipyme.org. Página de la Dirección General de Política de la PYME (pequeña y mediana empresa), proporciona información general y específica sobre tipos de contratos.

- www.camerdata.es. La página del Consejo de Cámaras de Comercio, Industria y Navegación de España ofrece información sobre prácticas de estudiantes en empresas.

Internet

 MESA REDONDA
Sueldos y horarios "a la carta"

En grupos: elijan un moderador para que lea el planteamiento del tema y comenten sus puntos de vista o experiencias, respetando el turno de palabra.

Los expertos aseguran que en el futuro no habrá sueldos ni salarios fijos. Cada trabajador se pondrá de acuerdo con su empresa sobre las retribuciones y las prestaciones elegidas a la carta.

Este nuevo modelo se denomina plan de retribución flexible y se aplicará cada vez más en el mundo laboral. Es un plan que reconoce que cada trabajador tiene necesidades y preferencias distin-

tas, que cambian cada año o cada cierto tiempo. La empresa ofrece una serie de opciones y cada trabajador elige los elementos retributivos y las coberturas que precise, a partir de unos créditos o puntos que la empresa le otorga y que se calculan en función de una o varias variables (situación familiar, antigüedad, nivel, desempeño del trabajo, etc.). Las opciones son múltiples: económico-financieras, transporte, formación, tiempo libre, seguros, entre otras.

Los planes flexibles son herramientas de recursos humanos pensadas para adaptarse a las necesidades individuales y atraer y motivar o retener a los empleados clave.

CONTENIDOS

OBJETIVOS COMUNICATIVOS:
- Hacer presentaciones y reaccionar (grados de formalidad).
- Describir la organización, cargos y funciones de una empresa.
- Hablar de objetivos, planes y proyectos.
- Expresar eventualidad: duda, certeza, probabilidad.
- Pedir y dar opinión y argumentarla.
- Tomar y ceder la palabra.
- Mostrar acuerdo y desacuerdo.
- Proponer, aceptar y rechazar ideas o sugerencias.
- Indicar que la intervención ha sido mal interpretada.

CONTENIDOS LINGÜÍSTICOS:
- Matices de la entonación: reticencia, insinuación.
- Pronombres y adverbios relativos.
- Futuro imperfecto y perfecto.
- Usos del infinitivo.
- Perífrasis: *acabar de + inf.; dejar de + inf.; empezar / comenzar / ponerse a + inf.; estar por / para + inf.; ir a + inf.; poder + inf.*
- Usos del subjuntivo (duda y probabilidad).
- Oraciones de relativo.
- Conectores: opinión y argumentación.
- Derivación: formación de verbos, nombres y adjetivos.
- g / j.

ESTRATEGIAS DE COMUNICACIÓN Y DE APRENDIZAJE:
Reglas del discurso y control de la comunicación oral (entonación, gestos, respeto de turnos). Participación en la toma de decisiones: exposición y argumentación en reuniones de empresa.

LÉXICO:
Tipos de sociedades; cargos y funciones de una empresa; instrumentos de la comunicación corporativa. Estilos de mando y cultura empresarial.

TEXTOS:
Expositivo y argumentativo; actas de reuniones.

TAREA:
Creación de una empresa.

INTERNET:
Familiarización con las organizaciones empresariales y obtención de información y asesoramiento para crear una empresa.

MESA REDONDA:
Estilos de mando.

episodio 2
Primer día en la empresa

A. Prácticas del vídeo

1 Antes de ver el vídeo:

a) **En grupo:** observen las fotografías y comenten con sus compañeros las formas de saludo y grado de formalidad, comparándolas con las de sus países.

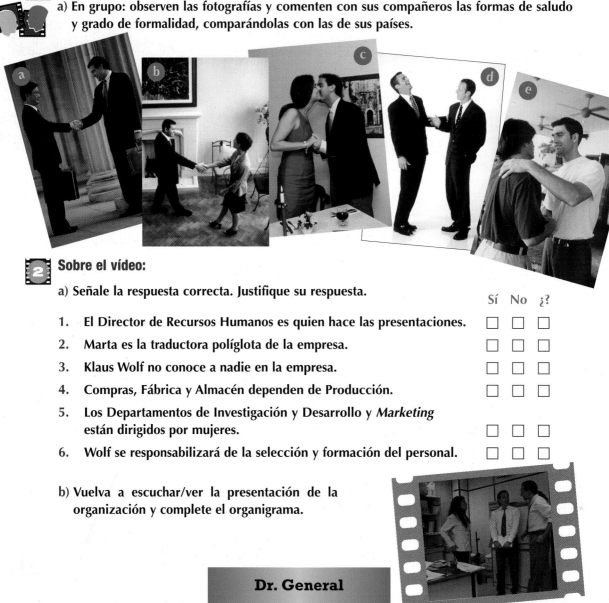

2 Sobre el vídeo:

a) Señale la respuesta correcta. Justifique su respuesta.

	Sí	No	¿?
1. El Director de Recursos Humanos es quien hace las presentaciones.	☐	☐	☐
2. Marta es la traductora políglota de la empresa.	☐	☐	☐
3. Klaus Wolf no conoce a nadie en la empresa.	☐	☐	☐
4. Compras, Fábrica y Almacén dependen de Producción.	☐	☐	☐
5. Los Departamentos de Investigación y Desarrollo y *Marketing* están dirigidos por mujeres.	☐	☐	☐
6. Wolf se responsabilizará de la selección y formación del personal.	☐	☐	☐

b) Vuelva a escuchar/ver la presentación de la organización y complete el organigrama.

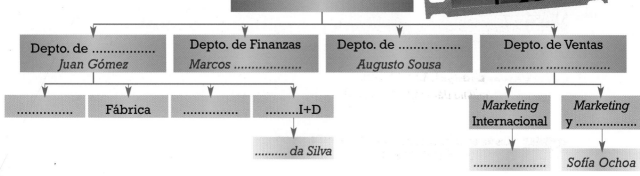

Dr. General

- Depto. de .... — *Juan Gómez*
- Depto. de Finanzas — *Marcos ....*
- Depto. de .... — *Augusto Sousa*
- Depto. de Ventas — ....

Depto. de Juan Gómez:
- ....
- Fábrica
- ....
- ....I+D → .... da Silva

Depto. de Ventas:
- Marketing Internacional → ....
- Marketing y .... → *Sofía Ochoa*

c) Subraye la sílaba acentuada y ponga la tilde donde sea necesario.

a) aleman   **b)** italiano   **c)** despacho   **d)** departamento

e) produccion   **f)** fabrica   **g)** almacen   **h)** contratacion

 Después de ver el vídeo:

a) Complete la descripción de los cargos y funciones de los directivos de la empresa con los términos siguientes.

contratación · calidad · **Director** · departamentos · **Producción**
salarial · objetivos · presupuestos · mercados · contabilidad

1. El .... General es el responsable final que establece los .... a corto y largo plazo, coordina los .... y representa a la empresa.

2. El Director de .... se encarga de la fabricación, control de existencias, control de .... y de Investigación y Desarrollo.

3. El Director Financiero se responsabiliza de calcular los ...., hacer pagos y cobros y de llevar la ....

4. El Departamento de Ventas hace la investigación de ...., la venta y el servicio postventa. De este Departamento dependen *Marketing*, Publicidad y Distribución.

5. En Recursos Humanos, además de la selección, la .... y la formación del personal, se ocupan de la negociación ....

 b) Por parejas: elijan una de las tarjetas de visita y expliquen a su compañero la organización y actividades de su empresa y las funciones y responsabilidades que tienen en la misma.

Vinos de Chile

Gerardo Jenner
Director de Exportación

Avda. Presidente Kennedy, 4003. Las Condes. SANTIAGO DE CHILE
Teléfono: 2 218 14 32. Fax: 2 218 14 36

Potosí electrónica

Evangelina Mendoza
Adjunta Departamento de I+D

Los Naranjos, 110. San Isidro-Lima 27. PERÚ
Teléfono: 00 51 1 456 12 90. Fax: 00 51 1 456 12 96

B.Tertulia

 1 Lean el texto y comenten los argumentos. A continuación, expresen su opinión y experiencias en relación con su primer día de trabajo en una empresa y la importancia de los planes de bienvenida.

PLAN DE ACOGIDA

Las empresas diseñan su plan de acogida con la finalidad de que el cambio que supone un nuevo trabajo sea menos traumático para el trabajador y muy estratégico para la empresa. Se trata de motivar e integrar al nuevo empleado mediante la formación y consolidación de la cultura de la empresa.

Los planes de bienvenida por sí solos no garantizan el éxito pero representan un primer paso para establecer un buen clima de trabajo, ya que los primeros momentos en una empresa pueden definir el resto de la trayectoria profesional en la misma y son vitales para la imagen que el candidato se hace de ésta.

Estos planes son, por tanto, una herramienta imprescindible para asegurar la buena comunicación desde la primera jornada de trabajo y fomentan un ambiente de trabajo agradable.

No existe un modelo único de plan de acogida, ni una duración determinada para aplicarlo, pero muchas empresas tienen lo que se denomina Manual de Bienvenida, un documento que reúne todo tipo de claves para sobrevivir en una organización. Los contenidos, generalmente, se estructuran en torno a cuatro aspectos: datos generales sobre la empresa, para entender los planes y proyectos de la misma; información sobre el organigrama para saber quién es quién; elementos operativos para manejarse en el día a día (cómo se piden las vacaciones, vales de comida, funcionamiento del correo interno, normas de seguridad) y, por último, información sobre la cultura de la empresa: cómo se hacen las cosas en esa empresa.

(Adaptado de *Nuevo Trabajo*, abril 2001)

C. ¡A ESCENA!

 1 En grupos de tres: preparen y representen la siguiente situación de comunicación.

Estudiante A:

Usted es el Director de Recursos Humanos y va a recibir a la persona que acaban de contratar para cubrir el puesto de un trabajador que se va a jubilar en la empresa. Prepare un plan de bienvenida para informar al estudiante B sobre las actividades, el organigrama y los responsables de la empresa y otros aspectos que considere importantes. A continuación, presente al estudiante B al estudiante C, que es el empleado que se va a jubilar.

Estudiante B:

Usted es el empleado que acaban de contratar. Prepare preguntas sobre la organización de la empresa y otros datos de interés (vacaciones, vales de comida, ayuda para el transporte, etc.) para formulárselas al Director de Recursos Humanos. Después, consulte al estudiante C las tareas que debe desarrollar en su puesto de trabajo.

Estudiante C:

Usted es el empleado que se va a jubilar y debe explicar al empleado nuevo los proyectos y el trabajo de su departamento.

D.Permanezca a la escucha

a) Anote el orden correcto del procedimiento para crear una empresa.

❑ Trámites de constitución

❑ Elección de la forma jurídica

❑ Idea

❑ Inicio de la actividad

❑ Obtención de recurso

❑ Plan de empresa

b) Escuchen la exposición sobre la creación de empresas en el transcurso de un seminario de la Cámara de Comercio y completen su diagrama.

Lea los ejemplos de negocios y anote los datos de cada uno. A continuación, compare y comente los datos con su compañero.

C

NATURA es una empresa individual que se dedica a la fitoterapia. Fue fundada con un capital inicial de 400 pesetas en el año 1982. Veinte años más tarde, esta empresa cultiva más de setenta variedades de plantas y factura más de 12 millones de euros. Comercializa 350 productos que se venden en 22 países de Europa y Sudamérica, a través de importadores, pero su proyecto es establecer delegaciones en varios mercados europeos y norteamericanos.

A

JARDINES DE SEVILLA es una Sociedad Limitada, fundada por tres mujeres, que se dedica al diseño y mantenimiento de jardines. Comenzó con un crédito bancario de tres millones de pesetas, unos 18000 euros de ahora. La empresa va bien porque las socias son muy conservadoras y asumen pocos riesgos.

B

ACTEA GESTIÓN AMBIENTAL surgió en el Vivero Virtual de Empresas, diseñado en las universidades madrileñas para promover la creación de empresas innovadoras de base científica y tecnológica. Se constituyó en julio de 2001 y tiene tres socios. Está especializada en el desarrollo de proyectos de medio ambiente y su objetivo es ayudar a las empresas a mejorar su actividad reduciendo costes y ahorrando energías.

Nombre de la empresa	Idea/Actividad	Tipo de sociedad	Nº de socios	Inversión inicial	Trayectoria y futuro
a					
b					
c					

A) Usos del Infinitivo

Forma	Uso	Ejemplo
-ar: negociar **-er: crecer** **-ir: invertir**	Puede ser sujeto o atributo de una oración. Puede ser complemento de un sustantivo o complemento de un adjetivo.	**Negociar** requiere tiempo. **Vender** es **crecer**. Es una máquina de **acuñar** dinero. Me resulta muy difícil de **explicar**.
Al + infinitivo	Valor temporal.	**Al terminar** la reunión, tomaremos café.
De + infinitivo	Valor condicional.	**De haberlo** sabido, no habría ido.
Por + infinitivo	Valor final. (Acción inacabada.)	Quedan varios aspectos por **aclarar**.
A / Para + infinitivo	Valor final.	Vine **a pedirte** consejo.
Con + infinitivo	Valor concesivo.	**Con ganar** tanto dinero, no se es feliz.

PERÍFRASIS VERBALES DE INFINITIVO

Forma	Uso	Ejemplo
Acabar de + infinitivo	Expresa una acción que se ha realizado hace un momento.	**Acabo de llamar** a mi socio.
Dejar de + infinitivo	Expresa el término de una actividad que ha sido habitual.	**Hemos dejado de vender** esos productos.
Empezar / Comenzar Ponerse a + infinitivo	Expresa el inicio de una acción.	**Empezamos a montar** este negocio el mes pasado.
Estar por / para + infinitivo	Expresa intención.	**Estoy por dejarlo** todo e irme al campo.
Ir a + infinitivo	Expresa planes, intenciones en un futuro inmediato.	**Vamos a reinvertir** para seguir creciendo.
Poder + infinitivo	Expresa posibilidad.	**Podemos financiarlo** mediante préstamos a bajo interés.

1 **Sustituya las expresiones subrayadas por otras utilizando un infinitivo.**

a) <u>Cuando acabé</u> la carrera, decidí ser empresario.
b) <u>La salida</u> a Bolsa nos vendrá muy bien para mejorar la imagen de la empresa.
c) Tengo que llamar a la Cámara de Comercio <u>con objeto</u> de enterarme de los nuevos impuestos.
d) <u>Aunque te opongas</u> a la fusión de la empresa, no conseguirás nada.
e) <u>Si hubieras</u> hablado con un asesor financiero, no estaríamos en bancarrota.

2 **Complete el comentario de una mujer-empresario con la perífrasis apropiada.**

Cuando yo .....dejé..... de trabajar porque me dieron la baja por maternidad, ...empezar..... a
plantearme la posibilidad de montar mi propio negocio de decoración interior. Se lo comenté a
una amiga, que se alegró mucho de la idea y me dijo que ella .....estaba..... por la labor de dejar
su trabajo para poder dejar de madrugar todos los días. Así que nos .....(empezamos)..... a buscar información sobre las posibilidades de convertirnos en empresarias y asistimos a un seminario sobre
franquicias. A partir de ese momento, nos pusimos a elaborar nuestro plan de negocio y a buscar asesoramiento y financiación. La semana que viene, mi amiga y yo, ...[6]..... a inaugu-
rar nuestra fantástica empresa: Casa X 2. ¡Estamos muy ilusionadas! *vamos a*

3 **Redacte un comentario sobre otro modelo de negocio, utilizando las perífrasis de infinitivo y los datos de Celeste Portillo.**

1998: trabajo en una peluquería de Lima (dejar de).

Septiembre de 1998: traslado a España / trabajo en una habitación de su casa (poder / ponerse a).

Enero 1999: información en el Instituto de la Mujer (ir a).

Marzo 1999: solicitud de microcrédito (tener que).

Febrero 1999: planteamiento de un negocio de salón de peinados (empezar a).

A partir de 2000: pago de la totalidad del crédito

A partir de 2000: (poder).

B) Oraciones de relativo

Las oraciones adjetivas o de relativo, introducidas por pronombres y adverbios de relativo (**quien**, **quienes**, **que**, **cuyo**, **cuanto**, **donde**, **cuando**, **como**) se forman con indicativo (acción constatada o real) o con subjuntivo (acción no constatada).

> *Comprobamos las facturas **que estaban** pagadas.*
> *Comprobaremos las facturas **que estén** pagadas.*

a) **Especificativas:** se usan para indicar o seleccionar las características de un grupo o de una parte del antecedente:

> *Los directores **que asistieron** a la reunión se desplazaron al aeropuerto en taxi (distingue entre los que asistieron a la reunión y los que no lo hicieron).*
> *Las empresas **que no hayan actualizado** sus sistemas informáticos tendrán dificultades.*

b) **Explicativas:** sirven para explicar o precisar las características del antecedente. Se escriben entre comas. Suelen ir en indicativo porque expresan una información y no admiten subjetividad:

> *Los proveedores, **que esperaban** cobrar al final de mes, empezaban a impacientarse.*

En los casos en los que el antecedente no está explícito porque el contexto es suficiente, el relativo asume la función de sustantivo en la oración, mediante la anteposición de un artículo:

> *Éstas son **las que más se desarrollan** (las PYMES) = las pequeñas y medianas empresas son las que más se desarrollan.*

1 **Complete las explicaciones de las características de la Sociedad Anónima con el relativo apropiado.**

La Sociedad Anónima, ...¹.......... abreviatura es S.A., es la forma jurídica ....²..........
adoptan las principales empresas, ya que pueden cotizar en la Bolsa de Valores.
Es una sociedad mercantil ....³.......... requisitos para su constitución son: un capital mínimo de 61100 euros, ...⁴.......... se divide en partes alícuotas llamadas acciones; el número de socios accionistas, cuya responsabilidad frente a las deudas de la empresa queda limitada a sus aportaciones, puede ser ilimitado. Las acciones se pueden transmitir libremente.
Los accionistas confían su gestión a los administradores ....⁵.......... son nombrados en la
Junta General de Accionistas, en la ....⁶.......... se toman las decisiones por mayoría.

2 En grupos de tres: pida a sus compañeros que le expliquen las características de las demás sociedades para completar sus fichas.

SOCIEDAD ANÓNIMA LABORAL

- Sociedad anónima en la que existen dos tipos de socios: capitalistas y trabajadores.

- Capital social mínimo: 60 000 euros (el 51% es de los trabajadores; ninguno puede tener más del 25%).

Estudiante A

SOCIEDAD LIMITADA (S.L.):

- Responsabilidad limitada a la aportación del socio.

- Capital dividido en partes iguales: participaciones.

- Capital mínimo: 3 005 euros.

- Nº de socios: desde 1 hasta 50.

- Las participaciones no se pueden vender sin consultar a los socios.

- No puede cotizar en Bolsa.

- Toma de decisiones por mayoría.

Estudiante B

SOCIEDAD COOPERATIVA

- Asociación que pretende satisfacer las necesidades de los asociados, que aportan capital y trabajo.

- Beneficios distribuidos en función de la actividad de cada asociado.

- Mínimo 5 socios.

- Capital: 3 000 euros.

- Beneficios fiscales.

- Gestión democrática.

FRANQUICIA

- Sistema de cooperación empresarial mediante el cual el franquiciador aporta el producto o servicio y el franquiciado recibe una licencia de explotación a cambio de una prestación económica y se beneficia de la marca, *marketing* y experiencia.

Estudiante C

EMPRESARIO INDIVIDUAL

- Responsabilidad ilimitada.
- Gestión y trámites más rápidos.
- Ventajas fiscales y subvenciones.

3 En grupos de tres: ustedes planean crear su propia empresa. Para lo cual deben revisar las fichas de los distintos tipos de empresas y analizar las ventajas e inconvenientes para elegir la forma jurídica más conveniente.

C) Expresar dudas y probabilidades

Forma	Uso	Ejemplo
Tal vez / quizá(s) + subjuntivo **Es probable que / Puede ser que (no)** + subjuntivo **Es difícil que** + subjuntivo **A lo mejor (no)** + indicativo **Deber de** + infinitivo	Expresa (im)posibilidad genérica.	*Tal vez* me suban el sueldo. *Puede ser* que (no) participemos en la Feria del Automóvil. *A lo mejor* no voy. *Deben de ser* las siete ya.
Futuro imperfecto	Expresa posibilidad que afecta al presente.	– *¿Por qué no* funciona esta impresora? • *Será* que le falta tinta.
Futuro perfecto / Condicional	Expresa posibilidad que afecta al pasado.	– *¿Por qué no* había nadie en recepción? • *Se habrán ido* a desayunar. ★ *Estarían* en la cafetería.

1 En grupos de dos / tres: han decidido crear su propia empresa y tienen que buscar una oficina o local para instalarse. Comenten sus necesidades y posibilidades en función del tipo de negocio.

fábrica

oficina céntrica

consultoría

parque empresarial

centro de enseñanza

alquilar

comprar

restaurante

centro comercial

barrio moderno/elegante

zona industrial

2 a) Escuchen y completen las ofertas de oficinas y locales comerciales.

b) Estudien las ofertas para elegir el local que sería probablemente más conveniente para su negocio.

Tipo de instalaciones	Metros cuadrados	Equipamiento/ Servicios	Precio	Teléfono
a) Local céntrico	....	Cuatro salidas de humo	....	....
b)	700 m²	Reformado según ley	....	....
c) Alquiler oficinas	....	Informático	....	93 348 89 90
d)	300 m²	....	534 597 €	....
e)	....	....	....	....

D) Expresar opinión y argumentarla

Pedir y dar opinión:

¿Qué te / le parece? } *Es muy original. Me gusta.*
A mí me parece (que es) muy interesante.

¿Qué opinan ustedes del proyecto? } *Personalmente, creo que no es viable.*
Creo que se puede mejorar.
A mi modo de ver, es arriesgado.

¿Qué opinión te / le merece el nuevo director } *No creo que vaya a resolver nada.*
No parece que tenga mucha experiencia.

Tomar la palabra:

Si me permiten, comenzaré por...
La razón de mi intervención...
Yo solamente quiero señalar que...

Ceder la palabra:

A continuación tiene la palabra...
Cedo la palabra a... Cuando guste
¿Desea intervenir / añadir algo, señor...?

Evitar dar opinión:

De momento, me reservo mi opinión.
¡Sin comentarios!
Prefiero tener más datos antes de opinar.
Mmm. Quizás. No sé.

Proponer ideas / sugerencias:

Mi propuesta en este caso es...
Quizás podríamos...
Me gustaría hacer una sugerencia al respecto.
¿Y por qué no...?

Estar de acuerdo / aceptar:

– ¿Estás de acuerdo, entonces?
• ¡Naturalmente!

– ¿Crees que tenemos razón?
• Por supuesto. Coincido plenamente.

– ¿Opinan ustedes como yo?
• Indudablemente.

– ¿Alguna objeción?
• No. Totalmente de acuerdo con usted.

Indicar que se ha sido malinterpretado:

Creo que no me he expresado bien.

No pensarás que...

Observo cierta reticencia... Quizás no me has entendido.

No estar de acuerdo / rechazar:

Es mejor que lo pensemos más tranquilamente.
Estoy (totalmente) en contra.
Considero / Creo que no es factible.
No estoy de acuerdo. Es inexacto.
Me parece una tontería.

---

1 **Por parejas: su empresa les ha convocado a una reunión informativa sobre la posibilidad de trabajar en la modalidad de teletrabajo.**

a) Lean los posibles argumentos y señalen las ventajas (V) e inconvenientes (I) de la propuesta, desde el punto de vista del teletrabajador.

CONVOCATORIA

Sr. / Sra. ....

Por encargo del Presidente le convoco a la reunión extraordinaria de PROGRESSA que tendrá lugar el día 30 de octubre de 2003, a las 16:00 horas en la sala de reuniones de la empresa, con el siguiente orden del día:

1. Lectura y aprobación del acta de la reunión anterior.
2. Propuesta de modalidad de teletrabajo.
3. Asuntos de trámite.
4. Turno abierto de palabras. Ruegos y preguntas.

Atentamente,

Fernanda Campuzano
Secretaria

Valencia, a 20 de octubre de 2003.

b) Escuchen y subrayen los argumentos de la empresa.

- ☑ Reducción de costes para la empresa.
- ☐ Incremento de la productividad. *20%*
- ☑ Aumento de la calidad de vida para los teletrabajadores.
- ☑ Flexibilidad en el trabajo.
- ☑ Ahorro del tiempo de transporte.
- ☑ Inserción de discapacitados.
- ☑ Tiempo para cuidar de la familia.

- ☒ Posible reducción de plantilla. *(personas que trabajan en oficina)*
- ☐ Cambio cultural.
- ☐ Barrera tecnológica.
- ☐ Desmotivación de los empleados.
- ☐ Ausencia de legislación específica.
- ☐ Dificultades para crear la "oficina móvil".
- ☐ No distinción entre vida privada y trabajo.

2 **En grupos: expresen su opinión, argumentando a favor o en contra de la implantación de la modalidad de teletrabajo y anotando sus acuerdos e información complementaria que deben solicitar para aceptar la propuesta.**

ACTA DE LA SESIÓN ....

Día: .... de .... de 2 ....

Hora de inicio: ....
Hora de finalización: ....
Lugar: ....
Miembros asistentes: ....
Miembros ausentes o que han excusado su asistencia: ....
Temas tratados: *Propuesta de modalidad de teletrabajo.*
....

ACUERDOS:

Primero: ....
Segundo: ....
Tercero: ....

Sin más asuntos que tratar, se levanta la sesión, de la cual como secretaria extiendo, con el Vº. Bº. del Presidente, este Acta.

Vº. Bº.

La secretaria
(firma)

El Presidente
(firma)

SE RUEDA

Por motivos laborales o personales se han planteado la posibilidad de crear su propia empresa, para lo cual tienen que tomar una serie de decisiones y seguir unos procedimientos.

a) Proyecto de creación de una empresa

1 **Concepción de la idea.**

a) **Por parejas o en grupos de cuatro: redacten una descripción de una idea a partir de la cual puedan proponer a sus compañeros la constitución de una empresa, decidiendo sobre las siguientes posibilidades.**

- Negocio convencional o electrónico.
- Sector de la economía.
- Tipo de actividad.

b) **Grupo completo: lean sus propuestas para que todos expresen su opinión, argumentándola. A continuación, se vota para elegir las ideas más atractivas o viables y para que cada alumno elija el grupo con el que desea desarrollar la idea que más le ha convencido y elaborar el proyecto de empresa.**

RECUERDE: para argumentar…

ORDENAR Y ENUMERAR	DEMOSTRAR	RESTRICCIÓN O ATENUACIÓN
En primer (segundo) lugar		
Respecto a	Efectivamente	
Por lo que se refiere a	Ciertamente	Sin embargo
Por una parte / Por otra	Por supuesto	Aún así
	Sin duda	A pesar de eso

ADICIÓN	CONSECUENCIA	RESUMEN
		En resumen
Además	Por (lo) tanto	En resumidas cuentas
Cabe añadir	Consecuentemente	Total
Asimismo	En consecuencia	En una palabra

El Plan de empresa. Cada grupo elige un secretario para que levante acta de las decisiones y discute su plan de empresa que debe incluir una breve descripción con los siguientes datos.

- Identificación de la actividad y responsables del proyecto.
- Nombre de la empresa, forma jurídica elegida, localización geográfica.
- Nombre de los socios, su experiencia en el sector y participación en el capital social (cantidad o porcentaje).
- Tipo de servicio o producto.
- Estudio del mercado al que se dirige: tamaño, descripción demográfica y sociológica.
- Requisitos: tipo de local, máquinas, medios de transporte.
- Recursos humanos: número de empleados y cualificación; política de selección.
- Medios para hacer la publicidad.
- Plan económico-financiero: inversión inicial, fuentes de financiación (préstamos, subvenciones, etc.).

b) Organización de la empresa

 Diseño del organigrama: completen el organigrama con el nombre de los responsables de los cargos y las funciones respectivas de los componentes del grupo.

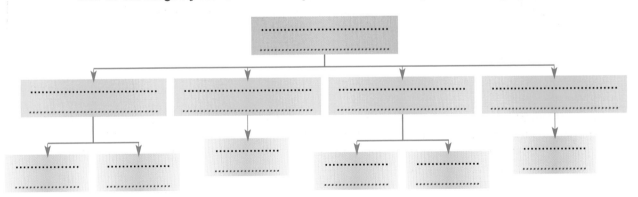

Selección de personal: definan las tareas de los profesionales que tienen que contratar.

- Puesto de trabajo.
- Funciones que desempeñará.
- Nivel formativo.

- Experiencia en puesto similar.
- Cualificaciones (informática, idiomas).
- Retribución estimada.

 Completen el siguiente anuncio de trabajo con los datos del personal que quieren contratar.

EMPRESA ....
NECESITA ....
SE REQUIERE ....
SE OFRECE ....

Interesados mandar CV, fotografía reciente y carta
manuscrita a ....
o al correo electrónico ....

c) Instalaciones de la empresa

1 Estudien los anuncios de oficinas y locales comerciales y elijan la oferta más conveniente para instalar su empresa.

2 Por parejas o grupo completo: distribuyan los despachos y las instalaciones de la empresa que han creado.

3 Presentación de la empresa que se ha creado ante el resto del grupo: cada miembro del grupo expone una parte del proyecto. Es conveniente la utilización de medios visuales para hacer la presentación.

ARCHIVO DE PALABRAS

1 Relacione las actividades de las empresas con el sector correspondiente y los ejemplos de cada uno.

ACTIVIDADES	SECTORES
1. Prestación de servicios.	**a)** Primario
2. Obtención de materias primas.	**b)** Secundario
3. Transformación de materias primas y procesos industriales.	**c)** Terciario

Pesca · Agricultura · Minería · Ganadería · Silvicultura

Química y farmacéutica · Textil · Alimentación · Electrónica · Siderúrgica · Industria

EJEMPLOS

Turismo · Sanidad · Seguros · Transporte · Comercio · Comunicaciones · Educación · Consultoría · Banca y Bolsa

2 Complete el texto con el término apropiado.

flexibles · asesorar · aprender · tendencia · expatriados
urbanizaciones · cualificados · prefieren · beneficios · exigentes

PROFESIONALES EXPATRIADOS

Las empresas especializadas en .... [1] a compañías y ayudar a profesionales de otros países a instalarse en España, aseguran que las empresas extranjeras que envían empleados a nuestro país los .... [2]

cada vez más jóvenes. El perfil de los profesionales .... [3] está cambiando a favor de estos empleados que son menos .... [4] y resultan más baratos a la empresa.

Su perfil contrasta con la imagen tradicional de los profesionales expatriados, que era la de un alto directivo que se establecía con toda la familia, elegía vivir en .... [5] de lujo y cuya mayor preocupación era encontrar un buen colegio para los niños. La .... [6] actual en la expatriación es la de profesionales jóvenes .... [7], de perfil técnico para cubrir puestos especializados. Sin cargas familiares, son más .... [8] y exigen menos .... [9] Además, prefieren vivir en un piso céntrico y aprovechar al máximo la experiencia y .... [10] el idioma, que sabe que contará a su favor en el currículo.

(Adaptado de Bienvenido a España, El País de los Negocios, diciembre de 2002)

3 Su empresa le ha trasladado a trabajar a Guatemala y está buscando vivienda. Lea los anuncios y anote los sinónimos de: *coche, salón, jardín, parcelas, casa de campo, comunidad de propietarios, financiación.*

COLINA DEL ZAPOTE CONDOMINIO CÉNTRICO Y SEGURO

• A diez minutos del centro, cerca de la Universidad, colegios y supermercados.

• Town houses de 3 y 4 dormitorios, Sala, cocina, garaje para dos carros.

• Amplias áreas verdes.

• Gustosamente le atendemos a toda hora.

LOTES DE CONDOMINIO SAN CRISTÓBAL

• Lugar exclusivo y accesible.

• Seguridad - garita de control.

• Privacidad.

• Financiamiento en quetzales o en dólares.

Multimedia

Archivo	Edición	Ver	Favoritos	Herramientas	Ayuda

⟵ Atrás	⟶ Adelante	✕ Detener	⟳ Actualizar	⌂ Inicio	🔍 Búsqueda	★ Favoritos	✉ Correo	🖨 Imprimir

Dirección   http://www.home.es.netscape.com/es/ ▾   ↱ Ir a

Situación: Familiarizarse con organizaciones empresariales y fuentes de información empresarial.

¿Sabía que...? Desenvolverse en el mundo empresarial requiere tener en cuenta la experiencia de organizaciones de reconocido prestigio, obtener información especializada y apoyo de las instituciones para iniciativas empresariales.

Tarea: Obtener información y asesoramiento para crear una empresa.

Teclee:
- www.webcrawler.com, www.yahoo.com, www.altavista.digital.com. Teclee la palabra empresa en la ventana de búsqueda y seleccione las empresas cuyas páginas web desee visitar. Algunas empresas proponen visitas virtuales. Anote la información sobre su actividad, objetivos, forma jurídica, políticas, etc.

- www.camerdata.es. Página de la Cámara Oficial de Comercio. Proporciona información sobre las empresas por sectores.

- www.pdvsa.com.ve (Petróleo de Venezuela S.A.) y www.repsol.es. Para conocer la actividad, producción y comercialización del petróleo.

- www.elcorteingles.es y www.codorniu.es. Página para conocer el subsistema comercial.

- www.mercosur.com. Presenta un índice de empresas y un fórum en el que se puede participar para tratar múltiples temas.

- www.ideas4capital.com. Página para los emprendedores e interesados en invertir en la economía digital.

- www.jpyme.es. Página presentada por la Dirección General de Política de la PYME con información sobre creación de empresas, financiación y fiscalidad.

- www.uji.es/euroninfo. Página del Centro de Documentación de la Comisión Europea. Proporciona información sobre las ayudas comunitarias a las empresas.

Internet

MESA REDONDA
Estilos de mando: ¿autoritario o democrático?

Comente con sus compañeros el texto y exprese su opinión en relación con los estilos de dirección, de acuerdo con su experiencia como empleado o directivo.

Los estilos de mando evolucionan de acuerdo con los modelos de organización empresarial.

La empresa clásica de la era industrial se basaba en el autoritarismo. En este modelo prima el respeto a la cadena de mando y la jerarquía. En el modelo de empresa de la era de la información, la autoridad ya no es el

único valor en una organización. Se presta más atención a la colaboración, el aprendizaje, la comunicación y la autonomía de los distintos departamentos, con lo que la empresa tiene la oportunidad de crecer de forma coordinada.

Sin embargo, existe una nueva corriente que reivindica el autoritarismo como el mejor método para dirigir una empresa. En un reciente congreso de pequeñas y medianas empresas, una ponencia aseguraba que "frente al mito de que la dirección participativa es más eficiente, se contrapone el hecho de que las PYMES de éxito cuentan con dirigentes con un férreo control y total unidad de mando".

CONTENIDOS

OBJETIVOS COMUNICATIVOS:

- Solicitar y ofrecer servicios financieros: banca y bolsa.
- Definir y comparar medios de pago y productos bancarios.
- Expresar propósito y finalidad.
- Hablar de cantidades y porcentajes.
- Informar e informarse sobre trámites y operaciones bancarias.
- Dar instrucciones.
- Hablar del negocio bancario (tradicional y electrónico).
- Indicar oposición y limitación.
- Exponer desconocimiento y pedir y dar aclaraciones.
- Expresar quejas y reclamaciones.
- Establecer y mantener relaciones con la banca por escrito.
- Describir sistemas e instituciones financieras.

CONTENIDOS LINGÜÍSTICOS:

- Pronombres interrogativos.
- Oraciones finales.
- Oraciones comparativas.
- Oraciones condicionales.
- Oraciones adversativas.
- Preposiciones *a / por / para*.
- Formación de palabras (por fusión y unión).
- Conectores. Comparación, oposición, hipótesis y alternativas.
- Números cardinales.
- Operaciones aritméticas y símbolos matemáticos.
- Multiplicativos.
- Uso de mayúsculas.
- Siglas y abreviaturas.
- z / s / c / ch.

ESTRATEGIAS DE COMUNICACIÓN Y DE APRENDIZAJE:

Pedir aclaraciones; solicitar ayuda lingüística; usos sociales de la lengua; técnicas de aprendizaje de léxico específico; uso del diccionario; reconocer y utilizar conectores; representación gráfica.

LÉXICO:

Sistemas e instituciones financieras servicios y productos bancarios; términos financieros y jurídicos; unidades monetarias; operaciones aritméticas y símbolos matemáticos.

TEXTOS:

Formales (informes y reclamaciones), correspondencia (relaciones con la banca) y mensajes electrónicos; documentos mercantiles (cheque y letra de cambio); tablas y gráficos.

TAREA:

Prácticas en una entidad bancaria.

INTERNET:

Búsqueda de información económica actualizada.

MESA REDONDA:

¿Es el dinero realmente un instrumento básico para el funcionamiento de la Economía? ¿Cuáles son las ventajas e inconvenientes del trueque?

episodio 3

En el banco

A.Prácticas del vídeo

Antes de ver el vídeo:

a) Escriba el término de los medios de pago y anote la traducción en su idioma.

dinero • pagaré • letra de cambio • cheque
tarjetas de crédito/débito/pago • tarjeta monedero

a

b

c

d

e

f

b) Relacione las situaciones con el formulario correspondiente de la entidad bancaria.

1. Quiero enviar dinero a Cuba, en dólares por favor.

2. Quisiera domiciliar el pago de las letras del coche en mi cuenta, por favor.

3. ¿Me da un formulario para hacer un ingreso en mi libreta de ahorro, por favor?

4. ¿Qué tengo que hacer para solicitar una tarjeta de crédito?

5. ¡Hola! Quería pagar la matrícula de la universidad. La cuenta es de Caja de Madrid, número 2038-2002-04-5004128431.

6. Necesito sacar 1000 euros de mi cuenta corriente.

Sobre el vídeo:

a) Señale la respuesta correcta. Justifique sus respuestas.

	Sí	No	¿?
1. Wolf quiere abrir una cuenta bancaria porque va a viajar por España.	☐	☐	☐
2. Quiere tener una cuenta con talonario de cheques.	☐	☐	☐
3. Para abrir una cuenta es necesario presentar un documento de identidad y hacer una aportación inicial.	☐	☐	☐
4. Las cuentas pueden ir a nombre de una persona o de varias.	☐	☐	☐
5. Wolf abre una cuenta sólo a su nombre.	☐	☐	☐
6. Una vez rellenado el formulario de apertura de cuenta recibe su talonario de cheques.	☐	☐	☐

b) Clasifique los términos siguientes según su pronunciación.

domiciliar · ingresos · cheque · solicitud · residencia · pasaporte · necesitamos · plazo · financiero · inicial · quizás · documentación

/ø/	/s/	/ĉ/

Después de ver el vídeo:

a) Indique el término del diálogo que corresponde a la definición siguiente.

1. Contrato que se firma con un banco o entidad financiera según el cual se deposita una cantidad de dinero, que se puede incrementar o retirar -total o parcialmente- cuando se crea conveniente.

....

2. Establecer o fijar la entidad y la cuenta bancaria donde se van a realizar los pagos y cobros.

....

3. Depósito de dinero que se realiza en una entidad financiera.

....

4. Libreta o cuadernillo de cheques o talones expedidos por una entidad bancaria.

....

5. Porcentaje de dinero que produce una cantidad invertida o prestada mensual, trimestral o anualmente.

....

Secuencias de

B.Tertulia

1 Lea el texto y subraye los servicios de la telebanca. A continuación comente con sus compañeros las ventajas de esta modalidad frente a la banca tradicional.

TELEBANCA

Los bancos virtuales son ya una realidad que forma parte de nuestras vidas. Se acabaron las colas en las sucursales para domiciliar un pago, actualizar una libreta, hacer transferencias o consultas. A partir de ahora, desde nuestra casa, y con la ayuda de Internet, podemos realizar muchas operaciones que ofrecen las ventajas de la rapidez en las transacciones, ahorro de tiempo y costo de la operación, comodidad y seguridad.

La banca tradicional ofrece a las empresas y a los particulares el acceso por Internet a más de 200 servicios, que van desde la consulta de saldos hasta traspasos entre cuentas propias, en algunos casos entre otras cuentas y, en menor medida, pagos a terceros en otras instituciones.

En España, la banca por Internet empezó hace poco más de un año y el mercado aún no se ha definido pero las entidades han comenzado una batalla comercial para captar clientes y depósitos ofreciendo alta rentabilidad. Además, la irrupción de la Red está provocando que algunos bancos extranjeros que no tenían presencia en España intenten introducirse en este mercado.

Según algunos estudios, en el año 2005, el 15% de todas las transacciones financieras se harán por Internet. Por esas fechas, existirán en Europa 24 millones de usuarios, en Latinoamérica habrá unos 10 millones de clientes de banca a través de la Red, en los EE.UU., 28 millones de personas operarán con su banco por esta vía.

Para las entidades financieras, operar a través de Internet, supone un notable descenso de costes porque, a pesar de la considerable inversión en tecnología que tienen que hacer, si un banco logra hacerse con una cartera de clientes que utilicen habitualmente la Red, reducirá sus gastos de oficinas de atención al cliente.

(Adaptado de *Saber Vivir*, nº. 25, año 2002)

C. ¡A ESCENA!

1 Por parejas: preparen y representen la conversación sobre los procedimientos para la apertura de una cuenta bancaria.

Estudiante A:

Usted desea abrir una cuenta en un banco. Solicite información y aclaraciones sobre los tipos de cuentas y los trámites para abrirlas.

Estudiante B:

Usted trabaja en un banco. Informe a su compañero sobre los tipos de cuentas y los trámites necesarios para abrir una cuenta, así como otros posibles servicios de la entidad.

Recuerde algunos servicios bancarios:

- Depósitos: **cuenta corriente** (disponibilidad inmediata), **de ahorro** (abona un interés superior), **a plazo** (no se puede retirar antes del vencimiento del plazo).

- Transacciones: cheques, transferencias, pagos.

- Préstamos.

- Cajas de seguridad para depositar objetos de valor.

- Asesoramiento financiero, cambio de moneda extranjera, planes de pensiones.

D. Permanezca a la escucha

 Escuche e indique la intención de las intervenciones de los clientes de un banco.

Intención

	A	B	C	D	E
a) Indicar propósito y expresar limitaciones....					
b) Exponer desconocimiento.........................					
c) Pedir aclaraciones...................................					
d) Formular una reclamación........................					
e) Preguntar sobre condiciones contractuales.					

Escuche de nuevo las intervenciones de los clientes y señale la frase publicitaria correspondiente.

A Si tiene usted domiciliada su nómina con nosotros, puede conseguir un crédito de hasta 6000 euros, a pagar en 36 meses.

B *Para sus vacaciones o para sus viajes de negocios, le ofrecemos nuestro servicio de cheques de viaje en divisas. O, si lo prefiere, dinero en efectivo.*

C Con el fin de asesorarle en sus inversiones financieras, ponemos a su disposición nuestro Servicio de Valores: compra-venta y custodia de valores.

D Nuestra cuenta-vivienda le permite elegir una forma más cómoda de ahorrar para comprar un piso o rehabilitar una vivienda antigua.

E Si le preocupa la disminución de ingresos en el momento de la jubilación, nuestros planes de pensiones son la mejor vía para planificar su tranquilidad.

 Por parejas: redacten una lista completa de los servicios bancarios mencionados hasta el momento y señalen los más interesantes, comentando las semejanzas y diferencias existentes con los que ofrecen las entidades bancarias de sus países.

A) Expresión de finalidad — *es el objetivo*

Forma		Uso	Ejemplo
A Por / Para A fin de En orden a Con el fin de	+ infinitivo	Expresa la finalidad o el propósito cuando la acción la realiza el mismo sujeto.	*Voy a ir al banco* **a / para solicitar** *la novación de mi hipoteca.* *Me gustaría saber el tipo de interés* **a fin de tomar** *una decisión.*
Para que A fin de que A que Con el objeto de que	+ subjuntivo	Expresa la finalidad cuando la acción la realizan sujetos diferentes.	*Tengo que ir a la inmobiliaria* **para que me den** *el contrato de compra-venta.*
Para cuando	+ subjuntivo	Expresa proyectos de futuro.	*Estoy calculando los gastos* **para cuando me concedan** *el préstamo.*

1 Observe los dibujos y adivine el propósito de los clientes en relación con los servicios del banco.

EN NUESTRO BANCO LO TIENE TODO...

- Seguros Multirriesgo Hogar
- Financiación
- Importación-Exportación
- Tarjetas de crédito
- Cheques de gasolina
- Cajas de seguridad
- Hipotecas
- Fondos de inversión
- Banca telefónica

a) Seguro que va al banco a contratar ...*cajas de seguridad*...¹........ para que no ....²...*le roben*.... (robar).

b) Tiene que llamar al banco con el fin de ......³...*cancelar*.... (cancelar) sus ...*tarjetas de banco*... .

c) Está pensando en contratar un ......⁵...*seguros*.... a fin de que le ...⁶...*cubran*... (cubrir) los posibles riesgos.

d) Están calculando las condiciones de ...⁷...*financión*... de sus proyectos de ...⁸...*importación*... para cuando lo ...⁹...*necesite*... (necesitar) su empresa.

e) Está conectándose con su servicio de ...¹⁰...*Banca telefónica*...para ...*hacer*... (hacer) alguna operación. *tele Vamo*

2 Lea las comunicaciones y anote el asunto y finalidad de cada una.

a)

Muy señor mío:

Agradecería cancelaran mi cuenta corriente número 3008, traspasando el saldo de la misma a mi libreta de ahorro número 14678.

Sin otro particular, le saluda atentamente,

Francisco José Moreno

b)

17/03 2003 11:47 FAX 03 111 357 90   001

BANCA RÍO

Buenos Aires, 25 de octubre de 2.........

DE: DIRECCIÓN DE INVERSIONES

A: Carlos Gabriel

Confirmamos recuperación de los depósitos a plazo que se han incrementado en más de mil millones de euros en tres meses.

L.F.

c)

CAJA DE MADRID

Madrid, 20 de junio de 2.......

Distinguido cliente:

Me dirijo a usted para comunicarle que he sido nombrada Directora de la sucursal en la que nos honra con su confianza.

Desde este momento estoy a su entera disposición, así como todo el equipo que me acompaña.

Esperando poder saludarle personalmente, reciba un cordial saludo,

Verónica Sandoval
Directora de la Sucursal

ascenso = promoted.

d)

To ▼ jlopez@wanadoo.es

Subject: Tarjeta PuntoCard

Normal ▼ 12 ▼ ▦ A A A

Estimado José María:

Te comunico que próximamente recibirás en tu domicilio nuestra tarjeta PuntoCard, totalmente gratuita.
PuntoCard será la manera más sencilla de relacionarte con este banco, las 24 horas del día, todos los días del año.

Un cordial saludo,

Jesús de Ibarra
Director de Nuevos Desarrollos

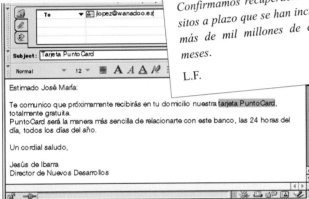 **3** Por parejas: lean los titulares de prensa y formulen hipótesis sobre los propósitos de las entidades.

Recuerden:

Supongo que es para...

Me imagino que...

La intención es...

Lo hacen a fin de...

Es para cuando...

a) TELEFÓNICA Y PORTUGAL TELECOM CREAN EN BRASIL LA MAYOR OPERADORA DE MÓVILES DE IBEROAMÉRICA. LA FUSIÓN AGLUTINA 13 MILLONES DE ABONADOS.

b) LA UNIÓN HACE LA FUERZA

Así lo han entendido los grandes bancos y las empresas al realizar las importantes fusiones que están protagonizando. De esta manera se aprovechan las sinergias de la propia fusión: duplicidad de cargos, solapamiento de puntos de venta o grandes centros administrativos.

c) VISA OFRECE REBAJAR DEL 6% AL 4% LA COMISIÓN MÁXIMA POR TARJETAS EN COMERCIOS.

d) AHORRAR ES CRECER

AHORRO E INVERSIÓN SON VARIABLES FUNDAMENTALES EN LA EVOLUCIÓN DE LA RIQUEZA DE UN PAÍS, YA QUE SON MOTORES DEL CRECIMIENTO. ADEMÁS, LA CANALIZACIÓN DEL AHORRO INDIVIDUAL HACIA LA INVERSIÓN FINANCIERA PUEDE TENER EFECTOS POSITIVOS SOBRE LA RIQUEZA DE LOS CIUDADANOS. LOS VALORES DEL TESORO OFRECEN UNA RENTABILIDAD GARANTIZADA SIN RIESGO, SIENDO UNA ALTERNATIVA DE INVERSIÓN MUY ATRACTIVA.

B) Expresión de la comparación

SUPERIORIDAD	*más* + adjetivo / adverbio / nombre + *que* verbo + *más* (nombre) *que*	El euro está **más alto que** el dólar. Yo había invertido **más (dinero) que** tú.
	más de + expresión de cantidad	No tiene **más de cinco millones**.
	Superlativo absoluto adjetivo + *-ísimo/a/os/as*	Las hipotecas están **carísimas**.
	Superlativo relativo *el/la/los/las* + nombre + *más/menos* + adjetivo + *que* (+frase) / *de* (nombre)	**El 10%** es **la rentabilidad más alta** que he obtenido en mi vida.
INFERIORIDAD	*menos* + nombre /adjetivo / adverbio + *que*	La liquidez es **menos importante que** la rentabilidad.
	verbo + *menos que*	Este local **cuesta menos que** el de la esquina.
	menos de + expresión de tiempo	Mi talonario tiene **menos de veinte talones**.
IGUALDAD	*tan* + adjetivo / adverbio + *como*	La confianza es **tan importante como** la seguridad.
	tanto/a/os/as + nombre + *como*	Tenemos **tantos morosos como** vosotros.
	verbo + *tanto como*	**Trabajan tanto como** nosotros.
	igual de + adjetivo / adverbio + *que*	Nuestra contabilidad **es igual de compleja** que la vuestra.

Para expresar correlación en la intensidad	
cuanto más/menos (nombre) + verbo + *más/menos* (nombre) + verbo	**Cuanto más** (dinero) tienes **más** quieres. **Cuanto menos** (tiempo) tienes **menos** trabajas.

1 Usted trabaja en un banco y tiene que informar a un cliente
sobre los planes de pensiones. Escuche la información y tome
notas para informar al cliente. A continuación, compare sus
notas con las de su compañero.

a) ¿Qué es un plan de pensiones? ....

b) ¿Qué seguridad ofrece? ....

c) ¿Qué ventajas tiene? ....

d) ¿Puedo recuperar la inversión cuando quiera? ....

e) ¿Cuál es la edad mejor para contratar un plan de pensiones? ....

f) ¿Puedo tener más de un plan de pensiones? ....

2 **Por parejas:** preparen preguntas sobre el cuadro comparativo de los planes de pensiones
y hágaselas a su compañero.

RENTABILIDAD MEDIA ANUAL DE LOS PLANES DE PENSIONES DEL SISTEMA INDIVIDUAL (%) POR ANTIGÜEDAD					
Tipo de plan	**13 años**	**8 años**	**5 años**	**3 años**	**1 año**
Renta fija	7,96	6,33	5,07	3,36	2,83
Renta mixta (máximo 15% variable)	7,93	6,28	2,82	0,78	-0,75
Renta mixta (entre 15% y 30% variable)	8,03	6,21	2,20	-1,60	- 4,56
Renta variable mixta (entre 30% y 75% variable)	7,40	5,26	0,96	-5,36	-13,40
Renta variable (mínimo 75% variable)	4,20	0,79	-1,03	-11,00	-24,00

(Datos a 31/8/2002, Fuente: *Inverco*)

primer plano

3 Compare las nuevas tarjetas de crédito con las que usted utiliza habitualmente y comente con su compañero la posibilidad de solicitar una.

VISA CAIXA GALICIA

- Pago en tres meses sin intereses.
- Pago fraccionado (mínimo 10% mensual).
- Atención las 24 horas, los 365 días del año.
- Seguro de asistencia en viajes, accidentes, uso fraudulento o robo.
- Extracto detallado.
- Descuento en el consumo de combustible.
- Operativa en todo el mundo.

NOVA ORO VISA BBVA

- Sin cuota anual.
- Devolución del % de las compras.
- Crédito hasta 6 000 euros.
- Seguro de asistencia en viajes.
- Seguro de accidentes de 450 000 euros.
- Seguro de compra protegida (robo o daños de los artículos pagados con la tarjeta).
- Flexibilidad de pago: cuota fija o porcentual (mínimo 5% o 18 euros).
- Retirada de dinero en efectivo en cajeros automáticos.
- Acceso a mercados financieros desde su ordenador o teléfono móvil WAP.

PAGOFÁCIL DE CAJA MADRID

- Gratuita para los clientes que ya tengan otras tarjetas de la entidad.
- 18 euros para los no titulares de otras tarjetas.
- Posibilidad de fraccionar los pagos en tres meses, hasta 6 000 euros.
- 5 euros de gastos de gestión.
- Operativa en todo el mundo.
- Extracto mensual detallado.

C) Expresión de condiciones

a) ACCIÓN POSIBLE, EN EL PRESENTE O EN EL FUTURO:

Si + presente de indicativo + presente de indicativo	*Si **domicilia*** aquí su pensión, ***tiene*** un regalo seguro.
Si + presente de indicativo + futuro de indicativo	*Si **domicilia*** con nosotros su pensión, ***disfrutará*** de muchas ventajas.
Si + presente de indicativo + imperativo	*Si **usted es*** mayor de 70 años, ***no espere*** más para disfrutar de la vida y *aproveche* la mejor oferta cultural.

b) ACCIÓN IMPOSIBLE O POCO POSIBLE, EN EL PRESENTE Y EN EL FUTURO:

Si + imperfecto de subjuntivo + condicional	*Si **tuviera*** nuestra tarjeta PagoFácil, ***disfrutaría*** del triple de ventajas.

c) REALIZACIÓN IMPOSIBLE: ACCIÓN NO REALIZADA EN EL PASADO:

Si + pluscuamperfecto de subjuntivo + condicional compuesto	*Si **hubieras contratado*** un Seguro-Hogar, ***no habríamos tenido*** que pagar los daños de la inundación.

Otros conectores:

a menos que, a condición de que, a no ser que, en el caso de que, salvo que, con tal de que, siempre que + subjuntivo	Te pagaré con un cheque, ***a no ser que** **prefieras*** dinero en efectivo.

1 **Relacione las intervenciones de los clientes con las respuestas del empleado de un banco.**

Clientes:

a) Usted no me notificó el vencimiento de mi recibo y ahora tengo que pagar intereses.

b) ¿Qué tengo que hacer en el caso de que el cajero automático no me devuelva la tarjeta?

c) He intentado pagar mis impuestos a través de la banca telefónica y no he podido.

d) ¿En qué me aconseja que invierta?

e) ¿Qué tendría que hacer si me robasen las tarjetas de crédito?

Empleado:

1. En ese caso, debería anularlas inmediatamente llamando al teléfono...

2. ¡Claro! Eso se puede hacer con tal de que tenga un identificador personal.

3. Lo lamento muchísimo. Si usted hubiera domiciliado con nosotros el pago de sus recibos, nosotros lo habríamos hecho.

4. Tiene que avisar a un empleado, siempre que sea en horario de oficina.

5. De momento, no invierta en Bolsa a no ser que sea una operación rápida.

 2 **En grupo: lean el texto y comenten las consecuencias de pagar con un billete falso.**

Lo que ocurre si no hacemos lo que exige la ley: Qué hacer si nos dan un billete falso.

¿Le han dado alguna vez un billete falso sin que se diera cuenta? Su obligación es acudir al Banco de España o a una comisaría de policía y entregarlo. Por supuesto, no se lo van a restituir por uno verdadero, pero ayudará a las autoridades encargadas de luchar contra los delitos financieros a investigar el origen de ese billete. Si no se actúa de esa forma y da ese billete falso en otra tienda, puede tener consecuencias nefastas. Según el Código Penal, quien haya recibido un billete falso y, tras constatar su falsedad, lo distribuye, puede ser castigado a pena de arresto de uno a cuatro fines de semana o a una multa. Si el valor de monedas es superior a 300 euros, la pena de arresto aumenta a quince fines de semana.

D) Expresar oposición o limitación

Las oraciones adversativas expresan una relación de divergencia, diversidad, restricción o contrariedad.

Forma	Uso	Ejemplo
Sino **Sino antes** **Antes/Antes bien** **Más bien**	Se utilizan para corregir una información o una opinión.	*No es un interés alto, **sino** muy bajo.* *Tener deudas no es muy agradable, **más bien** es desagradable.*
Mas / Pero / Aunque **Sin embargo / Si bien** **Con todo / A pesar de** **No obstante**	Se utilizan para limitar.	*Las cotizaciones han bajado, **pero** mantenemos la confianza* *La Bolsa tiene una tendencia bajista, **sin embargo**, muestra indicios de cambio.*
No sólo... sino también **No solamente... sino que**	Se utilizan para graduar.	***No sólo** pidió un crédito personal, **sino que** solicitó una hipoteca.*

primer plano

Complete el texto con la conjunción apropiada.

sino que • sin embargo • no sólo • si bien • no obstante • pero

LA BOLSA PIENSA EN INTERNET

La *internetmanía*, o confianza sin límites en las empresas tecnológicas y ligadas a Internet que cotizan en Bolsa, ha estado rompiendo los techos de cotización casi a diario. Un gestor de inversiones describía lo que está sucediendo con las empresas de tecnología punta y de Internet que cotizan en mercados bursátiles: "Era algo parecido a un *crash*, ...1......... al alza. En los *crash* hay un pánico vendedor; ....2........., ahora, hay una histeria compradora".

Las razones de este fenómeno están en la sociedad de la tecnología y la información. La Bolsa apuesta por el futuro y nadie duda de que el futuro de la actividad económica está en las empresas tecnológicas, ...3......... puede haber crisis y correcciones, lo cierto es que el sector tecnológico de la Bolsa parece duradero. Estos valores ....4......... se han convertido en el rey Midas, que convierte en oro todo lo que toca, ...5......... están transformando los esquemas tradicionales en el mundo empresarial.

...........6........., están empezando a oírse voces que aconsejan prudencia. La propia Comisión Nacional del Mercado de Valores (CNMV) exige cada vez más transparencia e información a estas empresas. El avance, ...7........., continúa imparable.

(Extracto adaptado de Entorno, Caja de Madrid, n.º 53)

 Escuche la presentación del Director General de una entidad bancaria y anote los datos siguientes para redactar un resumen del acto.

a) Puesto de la entidad en el sistema financiero: . . . .

b) Porcentaje destinado a créditos para adquirir viviendas: . . . .

c) Productos básicos de la banca comercial: . . . .

d) Limitaciones para dar un buen servicio: . . . .

e) Restricciones en relación con los Recursos Humanos: . . . .

f) N.º de oficinas y de cajeros automáticos: . . . .

g) Limitaciones en relación con la red de oficinas: . . . .

h) Información sobre los medios de pago: . . . .

i) Cartera de clientes. Objetivos en relación con la clientela: . . . .

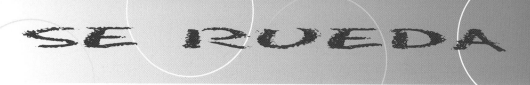

SE RUEDA

Por motivos académicos o profesionales, ustedes van a hacer un período de prácticas en una entidad bancaria establecida en España y desean familiarizarse con el Sistema Financiero Español (SFE), así como con las operaciones y medios de pago utilizados en las entidades bancarias.

a) Sistema Financiero Español

1 Antes de escuchar una conferencia sobre el SFE, consulte en un diccionario los términos siguientes y tradúzcalos a su idioma.

	EXPLICACIÓN	TRADUCCIÓN
Intermediario		
Ahorro		
Inversión		
Rendimiento		
Liquidez		
Plazo		
Cobertura de riesgos		

2 Escuche y complete el cuadro sinóptico de la conferencia sobre el Sistema Financiero Español.

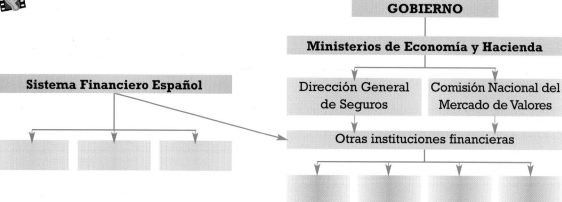

3 En grupos: diseñen un cuadro sinóptico para comparar el Sistema Financiero Español con los sistemas de sus países y expliquen a sus compañeros las semejanzas y diferencias.

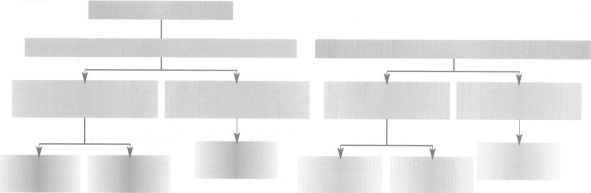

b) Operaciones en un banco

1 Por parejas: preparen las siguientes situaciones de formación de personal bancario.

Estudiante A:

Usted trabaja en un banco. Explique a su compañero en prácticas los pasos que hay que seguir para abrir una cuenta bancaria y los conceptos más importantes:

✔ Suscribir una solicitud de apertura, que es un formulario donde se consignan los datos personales y se aceptan los reglamentos de la entidad.

✔ Depositar una cantidad, que se llama imposición o ingreso.

✔ Cada vez que se realiza un movimiento en la cuenta, se anota en *Debe* (retirada de fondos, pago de cheques, transferencias) o en *Haber* (ingresos, transferencia a su favor, remesas, letras de cambio).

✔ Cada tipo de cuenta devenga un interés: la cuenta corriente devenga un interés mínimo; la libreta de ahorro da un interés superior; la cuenta de imposición a plazo tiene una fecha de vencimiento que hay que respetar, se puede utilizar como garantía de un crédito.

✔ Periódicamente, el banco enviará un extracto de la cuenta con el saldo disponible y los movimientos.

TARJETA PAGO FÁCIL CAJA MADRID

entre **3**
todo es más fácil.

Estudiante B:

Usted acaba de llegar a España para hacer prácticas en un banco. Pida a su compañero que le explique:

• Los procedimientos para abrir una cuenta.

• Los términos que se usan para:

    ✔ Ingresar dinero.

    ✔ Sacar o retirar dinero.

    ✔ Lista de movimientos de la cuenta.

    ✔ Dar / Pagar interés.

    ✔ Cantidad disponible en la cuenta.

    ✔ Los ingresos y pagos.

Estudiante A:

Dé instrucciones a su compañero, de acuerdo con la siguiente información:

Los actualizadores de libreta son la forma más rápida y cómoda de poner al día su libreta, es decir, para saber el saldo que tiene.

Sólo tiene que introducir su libreta en el Actualizador por la última página impresa y seguir las instrucciones que le van indicando en la pantalla y los luminosos de la máquina:

✔ Solicite libreta nueva.

✔ Libreta actualizada.

✔ Libreta mal introducida.

✔ Consulte en la oficina.

✔ Operación en proceso.

✔ Fuera de servicio.

Si desea hacer otro tipo de operaciones, debe utilizar los cajeros automáticos o consultar a los empleados.

Estudiante B:

Formule preguntas a su compañero sobre el funcionamiento de los actualizadores de libreta:

✔ Si desea saber el saldo de su cuenta.

✔ Si la libreta se atasca.

✔ Si quiere hacer otras operaciones: sacar dinero, ingresar un cheque, etc.

2 Por parejas: establezcan el orden de sus respectivas intervenciones y, a continuación, representen la conversación en el departamento de moneda extranjera de un banco.

Empleado	Cliente
1. Pues, en este momento está igual.	a) ¿Cómo?
2. ¿Cambiar a euros?	b) ¡Hola!
3. ¡Buenos días!	c) Quería...
4. ¿Qué cantidad desea cambiar?	d) Entonces, cambiaré 500 dólares.
5. ¿Quiere algunas monedas, también?	e) ¡Sí!
6. ¿Cómo los quiere? Los billetes son de 5, 10, 20, 50, 100, 200 y 500.	f) Muchas gracias. Muy amable.
	g) No sé... ¿A cómo está el dólar?
7. ¿Me deja su pasaporte?	h) Sí, por favor.
8. Tenga, de 1, de 2 euros y de 10 y de 20 céntimos.	i) ¡Ah! Aquí lo tiene.
9. Su pasaporte, por favor. Gracias.	j) ¿Me da algunos billetes...? ¿Cómo se dice... pequeños?
10. Quinientos dólares, ¿verdad? Aquí tiene, 100, 200, 300, 400 y 500. Firme aquí abajo, por favor.	k) Pues... alguno de 10 y de 20.

3 En su departamento se ha recibido la carta de este cliente. Redacte la contestación ofreciendo disculpas por el servicio.

> Gustavo Keller
> Hermanos Bécquer, 35
> 28002 MADRID
>
> Sr. Director
> Banco Mercator
> Sucursal nº 5
> Avda. de Génova, 37
> 28003 MADRID
>
> Madrid, 14 de julio de 2....
>
> Muy señor mío:
>
> Lamento tener que comunicarle que, debido a la pésima atención que vengo recibiendo desde hace algunos meses por el personal de ventanilla de la sucursal nº 5 de su banco, deseo que cancelen mi cuenta corriente número 3000-0005-2789 y que traspasen el saldo correspondiente a mi cuenta nº 3000-2789-15690, en el banco VINCIT, sucursal nº 24, de la calle Venecia, 146, Madrid.
>
> Atentamente,
>
> Gustavo Keller

Datos del banco:

Datos del cliente: Lugar y fecha:

Estimado cliente:

Despedida:

Firma:

Cargo:

c) Medios de pago

1 Un cliente desea ingresar un cheque por ventanilla. Estudie el modelo de cheque y relacione los siguientes datos con las partes del formulario.

- Entidad bancaria.
- Tipo de cheque: **nominativo** (lo cobra la persona determinada, previa presentación del DNI y firmando al dorso), **nominativo cruzado o barrado** (sólo puede cobrarse a través de una cuenta bancaria), **al portador** (lo cobra cualquier persona, por ventanilla).
- Cantidad (en número y en letra).
- Número de cuenta.
- Fecha de emisión.
- Número del cheque.
- Firma.

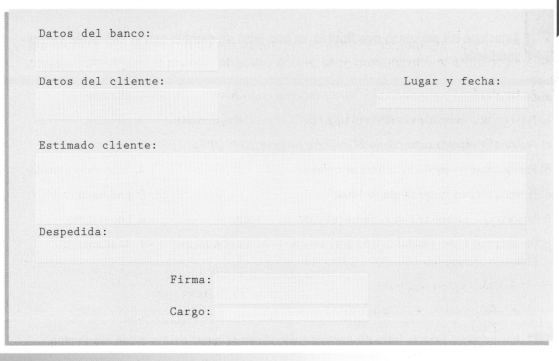

Relacione las personas que figuran en una letra de cambio con la definición correspondiente.

a) Persona que ha transmitido una letra a otra por endoso.

b) Persona que extiende y ordena el pago de la letra. Debe firmarla.

c) Persona designada para cobrar el importe de la letra.

d) Persona que ha recibido la letra por endoso.

e) Persona a cuyo cargo se gira la letra.

f) Persona que garantiza con su firma el pago de la letra.

g) Persona que acepta pagar la letra a su vencimiento. Es el principal obligado al pago.

1. Librador.

2. Librado.

3. Aceptante.

4. Tenedor o tomador.

5. Endosante.

6. Endosatario.

7. Avalista.

Por parejas: lean la letra de cambio y localicen el lugar de los datos siguientes.

- Suma que hay que pagar.
- Nombre de la persona que debe pagar (librado).
- Indicación de vencimiento (fecha fija o a la vista).
- Lugar donde se debe efectuar el pago.
- Persona a la que se debe pagar.
- Lugar para que firme la persona que emite la letra (librador).

 Forme términos utilizados en contextos bancarios combinando palabras de las columnas A y B y escriba una traducción en su idioma.

A	B	
Benéfico-	Telefónica	
Seguro-	Valores	
Tarjeta-	Social	
Tele-	rrota	
Banca-	Monedero	
Crédito-	Visa	
Cuenta-	Hogar	
Títulos-	Hogar	
	Banca	
	Vivienda	
	Nómina	
	Consumo	

 Exprese en voz alta las siguientes operaciones.

- 350 + 7 millones = 7 000 350
- 40 000 – 20 000 = 20 000
- 50 x 1000 = 50 000
- 10 000 000 : 2 = 5 000 000

- El doble de diez es...
- El triple de cinco es...
- El cuádruple de noventa es...
- El quíntuple de cuatro es...

Busque en la sopa de letras la palabra correspondiente a la palabra subrayada.

- ¡Ché! No me quedó ni un <u>mango</u> para la <u>jubilación privada</u>.
- ¿Dónde tienes el <u>domicilio</u> del préstamo?
- Nos han robado los <u>cheques de viajero</u>.
- Quiero que me devuelvan la <u>guita</u> en efectivo, la <u>plata</u> que yo tenía.
- Lo siento. Yo también estoy <u>en números rojos</u>.
- ¡Me ha pagado con un <u>talón</u>!

```
B H A A J A M O N E P O T T C P A R R L E A N E P E I S C E
A E B W U V C A E L M N D A E C H E Q U E C I A L L A M A A
D O L O M I A V M A I M I O A A S M U R M R P O A C T U N R
A O I J O H T E O G N U Q M S G Y E N T O R E S N P O N T O
R A M U N O E P S O E P N U S I T M E R J E T A D I N E R O
R E S I N S A L D O E A U M A A C A C T O S R O E S R U I N
O L A O C A R M U T R O Ñ P A Q A U H A R I E S P T A M A N
A F A C A I L A C A X T I O S U L A O G U E A T E B J R E A
C U A M E L L K R M E A N A R E A W E I C O M A N U X I L O
H E A N A O S I O P E S O Q U I C U A R A D I O S Y E M O L
E M A E V I A E A E M T A U A Z A E S R A O K E I C R A L R
Q U A T E M V A M C A Y T R O D I A L L O H E M O T O Ñ A B
U R A R F E T E A O I M A T A Z O Q U E M A S T N E M O U A
E S A I A R E S A F A Ó S R I T R U E R R P E S E G O H E M
S D E V I A J E L O U R N A S M E Y M I O X E A S O S E R O
```

Multimedia

Archivo Edición Ver Favoritos Herramientas Ayuda

Atrás | Adelante | Detener | Actualizar | Inicio | Búsqueda | Favoritos | Correo | Imprimir

Dirección: http://www.home.es.netscape.com/es/ | Ir a

Situación: Búsqueda de información económica actualizada.

¿Sabía que...? El primer banco central español fue creado en 1782, con el nombre de Banco Nacional de San Carlos que, en 1829, fue sustituido por el Banco Español de San Fernando. En 1844 se creó el Banco de Isabel II que, al cabo de tres años, se fusionó con el de San Fernando. En 1856 ambos bancos se fusionaron para formar el Banco de España.

A partir del 1 de enero de 1999, la política monetaria en España y en los países que adoptaron como moneda única el euro (zona euro) se dirige desde el Sistema Europeo de Bancos Centrales (SEBC), compuesto por el Banco Central Europeo (BCE) y los bancos centrales de la zona euro.

Tarea: Realizar un informe sobre la situación económica de España y varios países latinoamericanos.

Teclee:
- www.europa.eu.int.eurodicautom/Controller. Diccionario de términos empleados en el Unión Europea.
- www.forodirectivos.com. Proporciona información económica y de mercados. El enlace glosarios da explicaciones de conceptos económicos por sectores.
- www.mineco.es y www.bde.es. Direcciones del Ministerio de Economía y del Banco de España respectivamente para obtener información sobre la economía española y política monetaria y financiera.
- www.mercosur.org.uy. Información sobre los países latinoamericanos.
- www.bolsabilbao.es, www.bolsamadrid.es. Información bursátil española.
- www.iinfo.net/inverlat. Información sobre las bolsas latinoamericanas.
- www.bbva.es, www.gruposantander.es y www.cajamadrid.es. Para estudiar la información proporcionada por la banca privada y cajas de ahorros.

Internet

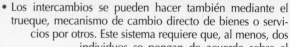

MESA REDONDA

¿Es el dinero realmente un instrumento básico para el funcionamiento de la Economía? ¿Cuáles son las ventajas e inconvenientes del trueque?

Después de leer los extractos de los textos, expresen su opinión en relación a las cuestiones planteadas.

- Dentro del sistema económico de mercado, el dinero es un instrumento con el que se realizan los intercambios, las compras y las ventas. El dinero ha contribuido al desarrollo de la Economía y al avance de los pueblos. También, sirve para unir a los pueblos, como es el caso del euro.

- En la antigüedad, se utilizaba el dinero-mercancía (oro, plata, seda, minerales), es decir, un bien aceptado como medio de pago. Al generalizarse los intercambios, apareció el dinero-papel (monedas y billetes de curso legal). Actualmente, muchas transacciones económicas se realizan con el llamado dinero-bancario (medios de pago creados por las entidades financieras).

- Los intercambios se pueden hacer también mediante el trueque, mecanismo de cambio directo de bienes o servicios por otros. Este sistema requiere que, al menos, dos individuos se pongan de acuerdo sobre el valor de la mercancía en cada transacción.

- En 1983 nació en Canadá el concepto de asociación para el trueque o intercambio multilateral de bienes y servicios (Local Exchange Trading System / LETS). Consiste en el intercambio de todo tipo de bienes o servicios -excepto actividades ilegales-, trabajos, habilidades y objetos sin que intervenga el dinero: masajes, clases de idiomas o cocina, tareas de casa, jardinería, reparaciones, alojamiento, objetos de segunda mano. Ahora bien, no se garantiza la calidad del servicio. Aunque no se utiliza una unidad monetaria, sí hay medidas orientativas. Por ejemplo, un masaje que puede costar 20 euros en el mercado se intercambia por dos horas de clase de idiomas.

CONTENIDOS

OBJETIVOS COMUNICATIVOS:
- Describir personas, ambientes y productos.
- Informar e informarse sobre ofertas de servicios y productos.
- Hablar de condiciones contractuales.
- Hacer referencias a compromisos en el futuro.
- Presentar reclamaciones sobre servicios y productos.
- Describir procesos de fabricación industrial y de creación intelectual.
- Planificar campañas de publicidad.
- Expresar causas y consecuencias.
- Intentar persuadir a alguien.
- Manifestar fastidio, desilusión o entusiasmo.
- Expresar valoraciones y sensaciones.

CONTENIDOS LINGÜÍSTICOS:
- Adjetivos calificativos.
- Demostrativos (sentido despectivo y distanciamiento).
- Adverbios de cantidad.
- Pronombres personales + verbos pronominales.
- Usos del participio (adjetivo, voz pasiva, valor temporal, causal y consecutivo).
- Oraciones temporales.
- Construcciones de pasiva y *se* impersonal.
- Oraciones causales.
- Oraciones consecutivas.
- Revisión de las preposiciones.
- Pesos y medidas: peso, longitud, superficie, capacidad, velocidad.
- Prefijos.
- Onomatopeyas.
- l / ll / y.

ESTRATEGIAS DE COMUNICACIÓN Y DE APRENDIZAJE:
Parafrasear, uso de información no textual, conocimientos previos; recursos de referencia, orden de la descripción de productos, personas y espacios.

LÉXICO:
Medios de transporte y partes de un coche, *marketing* internacional, pesos y medidas, formas, colores y diseños, medios y soportes de publicidad, propiedad industrial e intelectual, medio ambiente.

TAREA:
Creación y lanzamiento de un producto o servicio.

TEXTOS:
Descriptivo, patentes y marcas, publicidad, anuncios, estudios de mercado, encuestas.

INTERNET:
Publicidad, productos y servicios en la Red.

MESA REDONDA:
¿Se puede vivir en un mundo sin marcas?

episodio 4

Productos y servicios

A. Prácticas del vídeo

Antes de ver el vídeo:

a) **Señale si está de acuerdo o no con las siguientes afirmaciones y contraste sus respuestas con las de su compañero.**

	Totalmente de acuerdo	Parcialmente de acuerdo	Absolutamente en desacuerdo
1. El *marketing* es necesario en la empresa.	☐	☐	☐
2. La función del *marketing* es elevar las cifras de ventas y obtener rentabilidad.	☐	☐	☐
3. Los instrumentos del *marketing* son: producto, precio, distribución y comunicación (promoción y publicidad).	☐	☐	☐
4. El objetivo de la publicidad es organizar las ventas muy bien.	☐	☐	☐
5. La publicidad sirve para introducir y mantener un producto en el mercado.	☐	☐	☐
6. Los productos se compran solamente por las marcas.	☐	☐	☐

b) **Relacione los siguientes eslóganes con cada uno de los logotipos e indique el objetivo del mensaje.**

a) Informar:
b) Persuadir:
c) Recordar:

a. LA ELEGANCIA ES UNA ACTITUD.

b. **CONECTE CON EL FUTURO.**

c. EMBAJADOR DEL ARTE DE VIVIR EN ITALIA.

d. ESTE ES SU DESTINO.

e. *REDESCUBRE UN GRAN CLÁSICO REDESCUBRE EL SILENCIO. LA SERENIDAD. LA SIESTA. LA CALMA TOTAL Y ABSOLUTA DE ESA GRAN GRUTA DEL VINO QUE ES LA BODEGA.*

f. CAMINA, NO CORRAS.

g. ¿JUGAMOSSS?

Sobre el vídeo:

a) **Señale las respuestas correctas. Justifique sus respuestas.**

	Sí	No	¿?
1. La empleada se muestra muy amable.	☐	☐	☐
2. El cliente elige el modelo de coche en función de la marca.	☐	☐	☐
3. El equipamiento del coche incluye dirección asistida y *airbags* de serie.	☐	☐	☐
4. El Impuesto sobre el Valor Añadido se paga aparte.	☐	☐	☐
5. El cliente dejará el coche en el aeropuerto.	☐	☐	☐
6. La tarifa de fin de semana incluye la gasolina consumida.	☐	☐	☐

b) **Escuche la grabación de nuevo y anote las palabras que se escriben con LL, Y, prestando atención a su pronunciación.**

/l/	/y/

Después de ver el vídeo:

a) **Subraye las palabras utilizadas en el diálogo para indicar.**

1. **Tamaño:** familiar • grande • mediano • pequeño • biplaza •

2. **Medios de pago:** pagaré • cheque • transferencia • tarjeta de crédito • euros • dinero en efectivo •

3. **Condiciones contractuales:** precio • depósito • seguro • gasolina lugar de entrega • tarifa • IVA • kilometraje gratis • kilometraje ilimitado •

4. **Equipamiento del coche:** *airbag* • radio • aire acondicionado • llantas de aleación • cinturones de seguridad • dirección asistida •

b) **Complete el resumen de la contratación.**

El cliente ha decidido alquilar un ....[1]........... Astra con ....[2]..........., ...[3]........... y ....[4]........... porque ha valorado positivamente la oferta de la ....[5]........... de fin de sema-na, sin límite de ....[6]..........., que debe incluir un ....[7]........... y un domingo. El contrato incluye el ....[8]........... obligatorio del viajero y el ....[9]........... de responsabilidad civil. Se paga solamente la ....[10]........... que se consuma. El modo de pago es con ....[11]........... y, al final, el cliente devolverá el coche en la ....[12]........... de la agencia de alquiler de coches.

Secuencias de

B. Tertulia

 1 Observen los logotipos y mencionen las marcas de los productos o servicios que representan. ¿Recuerdan el color dominante en cada logotipo?

El Corte Inglés

Mercedes-Benz

Cola Cao

NOKIA
CONNECTING PEOPLE

DANONE

MICHELIN

Telefónica

 2 Comenten las asociaciones o evocaciones que les producen, reflexionando sobre la valoración o credibilidad de las marcas y los productos y el significado de los colores.

Recuerde:

Factores cognoscitivos (prestigio, grado de competencia, posicionamiento en el mercado). **Afectivos** (emoción, confianza, imagen del país de origen, experiencias o recuerdos personales).

C. ¡A ESCENA!

 1 Por parejas: preparen y representen la siguiente situación.

Estudiante B:

Usted desea alquilar un coche durante un período de tiempo. Formule preguntas a su compañero acerca de las condiciones del alquiler.

Estudiante A:

Usted trabaja en una empresa de alquiler de coches. Informe sobre las características de los vehículos y las condiciones de alquiler.

D. Permanezca a la escucha

 Escuche la entrevista y complete la ficha con los datos más relevantes de la firma.

LOEWE

a) Fecha de fundación:	....
b) Actual propietario:	....
c) Características clásicas de la firma:	....
d) Nueva imagen:	....
e) Público objetivo de la nueva etapa:	....
f) Comunicación:	....
g) Artículos:	....
h) Planes de futuro:	....
Producto:	....
Internacionalización:	....
Innovación:	....

 Después de escuchar la entrevista:

a) Relacione los conceptos con los comentarios.

1. La investigación y el desarrollo de nuevas técnicas siempre han acompañado a la empresa. Fueron los primeros en introducir el color en la piel.

2. La inspiración de las raíces españolas late en los artículos de la firma. Desde un motivo modernista hasta los colores mediterráneos o una alusión a *Las Meninas*, por ejemplo.

3. Sus productos son un símbolo de la pura artesanía de alto nivel.

4. El buen hacer empresarial se ha traducido en la internacionalización de la marca que ha conquistado mercados tan difíciles como el japonés, que supone un 20% de la facturación de la empresa.

5. El escaparatismo y el cuidado de la imagen han sido una de las bazas fundamentales de la empresa. Su propio logotipo (cuatro "L" entrelazadas) es un vivo ejemplo.

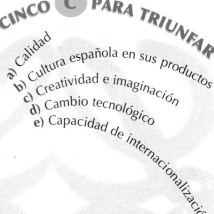

LAS CINCO **C** PARA TRIUNFAR
a) Calidad
b) Cultura española en sus productos
c) Creatividad e imaginación
d) Cambio tecnológico
e) Capacidad de internacionalización

b) Redacte un breve artículo sobre la firma LOEWE, con la información de los ejercicios 1 y 2.

En grupos: intercambien información sobre la historia de otras empresas que conozcan y las estrategias de *marketing*.

encuadre

A) Descripción de personas, lugares y productos

Adjetivos calificativos

Describen características y cualidades: carácter, personalidad, emociones, tamaño, talla, edad o antigüedad, forma, color, material, diseño, origen, utilidad.

*Es un creativo muy **cualificado**. Además, es muy a**mable**.*
*¡Estoy **encantada / decepcionada** con el servicio de este hotel!*
*El envase es **cuadrado** y de color **azul** oscuro.*
*Todas nuestras corbatas son de seda **china**.*
*La sala de reuniones es muy **acogedora** y está **refrigerada**.*
*Te traigo el **nuevo** catálogo de las máquinas segadoras.*

Formas apocopadas

Algunos adjetivos pierden la vocal final delante de un nombre masculino.

*Es un **buen** material publicitario. Es una **buena** ocasión.*
*Hoy hace **mal** tiempo para rodar el anuncio. Es una **mala** noticia.*
*En ocasiones hay que dar el **primer** paso. Siempre hay una **primera** vez.*

Participio

Es una forma personal del verbo comparable a un adjetivo. Cuando acompaña a un nombre, concuerda en género y número con éste.

*El cliente estaba muy **disgustado** con el resultado de la campaña de publicidad.*
*Las marcas **desprestigiadas** no se mantienen en el mercado.*

---

1 **Relacione los adjetivos y nombres apropiados para describir.**

a. carácter / personalidad
b. material
c. tamaño / talla
d. edad / antigüedad
e. color
f. diseño
g. forma

1. madera • cristal • cartón • seda • vidrio • lana • algodón • pana • plástico • vinilo • aluminio • corcho • (b) *corck*

2. antiguo • viejo • joven • nuevo • prehistórico • obsoleto • moderno • maduro • d

3. seductor • individualista • gregario • creativo • pragmático • agresivo • competitivo • (a)

4. cuadrado • redondo • circular • oval • triangular • piramidal • g

5. blanco • negro • amarillo • verde • azul • morado • gris • rojo • tornasolado • rojizo • anaranjado • turquesa • azul marino • indefinido • (e) *tosado*

6. alegre • simpático • cariñoso • tímido • adusto • abierto • soberbio • enérgico • flemático • (a) *muy serio — una persona que piensa que es mejor que los demás.*

7. liso • estampado • de rayas • de flores • de lunares • de cuadros • formas geométricas • formas abstractas • f *cuculos*

8. grande • pequeño • mediano • inmenso • diminuto • c

2 Por parejas: describa los productos y compare sus descripciones con las de su compañero.

- Tipo de producto: consumo, industrial o de servicios.
- Envase: material, tamaño o capacidad, forma y color.
- Etiqueta o nombre comercial: logotipo, color y tipo de letra.

3 Elija uno de los anuncios y redacte una descripción del mismo.

- **Medio de comunicación:** radio, televisión, Internet, prensa (diaria, especializada, femenina), vallas publicitarias.
- **Tipo de producto.**
- **Público objeto:** niños, jóvenes, adultos, hombre o mujer, familias, amas de casa.
- **Ambiente:** sugerencias, promesas, estilos de vida.
- **Relación** entre marca, mensaje verbal y comunicación visual.
- **Uso** de objetos, animales, niños, personajes famosos, modelos atractivos.

Recuerde:

Empiece la descripción de izquierda a derecha, del fondo al primer plano, describa los recursos utilizados: colores, ambientes, sugerencias.

4 En grupo: describan un anuncio de televisión, sin decir el producto, para que sus compañeros lo adivinen.

B) Expresar relaciones temporales

Forma		Uso	Ejemplo
Mientras Cuando A medida que	+ indicativo	Expresa simultaneidad de acciones, en presente y en pasado.	Suele dibujar **mientras** habla. El proveedor nos visitó **cuando** vino a Lima.
Antes de que Antes de	+ subjuntivo + infinitivo	Expresa anterioridad.	Te lo explicaré **antes de que** te enfades. Revise las cartas, **antes de** irse.
Cuando Después de Después de que Una vez que En cuanto que	+ indicativo + infinitivo + subjuntivo + subjuntivo + subjuntivo	Expresa posterioridad.	Todos le saludaron, **cuando** entró. Se lo comentó **después de** dejar la reunión. Se lo dijo **después de que** firmara. Pagaré la factura, **una vez que** / **en cuanto que** la haya revisado.
Desde que	+ indicativo	Indica el comienzo de una acción.	No paro **desde que** empezaron las rebajas.
Hasta que Hasta	+ indicativo /subjuntivo	Indica el final de una acción.	No pudimos hacer el anuncio **hasta que** llegaron los modelos. No podemos hacer el anuncio **hasta que** deje de llover.
Participio con valor temporal			**Terminada** la encuesta, se fue a casa = cuando terminó la encuesta, se fue a casa.

Se usa indicativo para referirse al presente o al pasado y subjuntivo para referirse al futuro.

1 Escuche las siguientes reclamaciones y complete los espacios. A continuación, relaciónelas con el producto o servicio correspondiente.

a) ¡Qué fastidio! ....¹........ llegué a casa, lo enchufé pero seguía sin funcionar.

b) ....²........ no presenté el seguro de la vivienda no me concedieron el crédito hipotecario.

c) ¡Por fin iba a disfrutar de mi coche nuevo! Pero, ...³........ recorrer 500 metros, el coche empezó a arder.

d) ....⁴........ que abría la lata de espárragos, iba notando un olor muy raro.

e) Exigí el libro de reclamaciones ....⁵........ vi el hotelucho aquel en el que nos iban a alojar. ¡Qué espanto! ¡Qué asco!

1. Alimentación / Supermercado

2. Entidad bancaria

3. Reparación de electrodomésticos

4. Agencia de viajes

5. Concesionario de automóviles

2 Cuando desee hacer una reclamación, lo mejor es presentarla por escrito. Redacte una carta de reclamación, según el modelo y utilizando las expresiones temporales, para quejarse por alguno de los siguientes problemas.

a) Se ha comprado un reloj muy caro, sumergible, que ha dejado de funcionar después de ducharse con él.

b) Ha encontrado gusanos en una caja de bombones.

c) La camisa / blusa ha encogido dos tallas después del primer lavado.

d) No consigue establecer comunicación con su sofisticado teléfono móvil.

Recuerde:

ENCABEZAMIENTO
SALUDO
PRIMER PÁRRAFO: indique el producto, serie, gama, color, precio, momento y lugar de adquisición.
SEGUNDO PÁRRAFO: explique el problema.
TERCER PÁRRAFO: exponga los objetivos que desea alcanzar con su reclamación (devolución del dinero, cambio del producto, indemnización, etc.).
CUARTO PÁRRAFO: señale el plazo de tiempo que concede para que le respondan y anuncie las medidas que va a tomar si no le contestan.
DESPEDIDA

C) Construcciones pasivas y *se* impersonal

	Forma	Uso	Ejemplo
Pasiva con SER	**Sujeto paciente + *Ser* + participio (+ *por* + agente)**	Expresa una acción o proceso del que interesa más el objeto o verbo que el agente. Es un recurso literario y periodístico. Se usa cuando no se conoce el agente o no se quiere expresar.	*Esa marca esa **fue creada** por un ordenador.* *Las lavadoras **habían sido verificadas**.*
Pasiva con ESTAR	**Sujeto paciente + *Estar* + participio (+ por + agente)**	Expresa el resultado de una acción anterior.	*La norma ISO **está bien** descrita.*
		Se usa para evitar mencionar el agente.	*El patrocinador no **está mencionado**.*
se impersonal	***Se* + verbo en 3ª persona singular/plural + nombre singular/plural**	Se usa para evitar mencionar el agente de la acción, sustituye a la pasiva con *ser*.	***Se diseñó** el envase en dos días = El envase **fue diseñado** en dos días.* ***Se venden** todas las existencias = Todas las existencias **son vendidas**.*
		Expresa involuntariedad.	***Se ha omitido** el autor de la obra.*

1 **Escuche las reglas que se deben tener en cuenta para crear un nombre comercial y relaciónelo con cada ejemplo.**

a) ABC
IBM
DANONE
MERCEDES
FERRARI
KODAK
1880

b) PROFIDEN

c) UMANO
VOLKSWAGEN
SCHWEPPES

d) APPLE

e) ZUMOSOL

f) SAN MIGUEL

g) MICHELÍN
NISSAN

h) NOVA

2 **Complete el folleto de un supermercado con los términos del recuadro.**

trazabilidad · pesticidas · producción ecológica · controles de calidad · materias primas · calidad-precio · abonos · papas · medio ambiente · marca · aportes nutritivos · post-cosecha

 La calidad de nuestros productos se basa en la selección de ....1........ y en los procesos utilizados. Todo ello con la mejor relación ....2........ .
Desde el momento en que asumimos el compromiso de respeto por el ....3........ nos aseguramos de que los ....4........ químicos fueran sustituidos por abonos naturales y de que no se usasen ....5........ para que los cultivos y los animales crecieran a su ritmo natural.
Al hacer un seguimiento de los productos de principio a fin, somos capaces de informar al consumidor sobre el origen, la calidad y los ....6........ de los productos que comercializamos con nuestra ....7........ .
En nuestra sección de frutas y verduras encontrará paltas, damascos, alcuciles, cuzas, zapallos, frutillas, porotos y chauchas de Argentina; camotes, chícharos, frijoles, ...8........ y duraznos de México. Variedades todas ellas seleccionadas y sin tratamientos ....9........ .
Nuestra carne, criada en Argentina, a base de alimentación 100% vegetal, se somete a los más exigentes ....10........ .
En nuestros establecimientos, se puede encontrar más de cien productos procedentes de la ....11........: aceites de oliva virgen, arroz, cereales, productos lácteos, licuado de soja, mermeladas de banana, toronja, ananás y durazno. Todos ellos han sido obtenidos según la normativa ecológica y han seguido los procedimientos de ....12........ .

3 **Por parejas: les han encargado un proyecto para dar a conocer el supermercado y sus productos. Para ello deben:**

a) Crear el nombre comercial del supermercado.

b) Diseñar el logotipo apropiado para los productos.

c) Redactar un eslogan atractivo, utilizando la voz pasiva o *se* impersonal.

d) Sugerir métodos de promoción: folletos, catálogo, buzoneo, asistir a ferias, promociones en puntos de venta, degustaciones en colegios, gimnasios y asociaciones, patrocinar acontecimientos deportivos, etc.

> Recuerden algunos prefijos para distinguir los productos:
>
> BIO- PRO- ECO- EURO- LATIN- NATU- INTER- PRE- MEGA- ULTRA- EQUI- NEO-

D) Expresar causas y consecuencias

Para preguntar y explicar las causas:			
¿Por qué? + indicativo **¿Cómo es que...?** **Porque** **Pues** **Como** **Es que...** **Lo que pasa es que...**	**¿Por qué** no has ido a la reunión? **Porque** no podía. **Como** no me avisaron... **Es que** me he dormido.	**¿Por qué no...?** + indicativo **Puesto que** **Teniendo en cuenta que** **Dado que** **Ya que**	**¿Por qué no** aplaudes? **Teniendo en cuenta que** es la tercera vez...

Participio con valor causal:

Acostumbrado a los viajes de promoción, ahora los echo de menos.
Ahora echo de menos los viajes de promoción, porque estaba acostumbrado a ellos.

Para expresar consecuencias:		
Así (es) que **Entonces** **Por lo tanto** + indicativo **Total (que)** **De modo que**	Expresa la consecuencia de lo dicho. Indica una relación causa-efecto. Introduce la consecuencia o resumen de una acción, a modo de inciso de la oración principal.	Tengo la tarde libre, **así es que** podemos revisar esas maquetas. Van a fusionar la empresa, **por lo tanto** despedirán a muchos empleados. No les ha gustado el proyecto, **de modo que** hay que hacer otro.

 1 **Ordenen las siguientes explicaciones y relaciónelas con alguna de las reclamaciones planteadas en los ejercicios 1 y 2 del Encuadre gramatical B.**

a) Lamentamos mucho el trastorno que le hemos causado, / Por lo tanto, / sin coste adicional. / debido probablemente a un mal ajuste de la esfera de su reloj. / le rogamos que nos traiga el reloj a nuestro establecimiento y le daremos otro igual,

b) Probablemente, / tráiganoslo. / y si persiste la avería, / se debe a algún problema del enchufe, así es que le aconsejamos que lo pruebe de nuevo

c) que usted había contratado. / dado que / Creo que su reclamación no tienen ningún fundamento, / el hotel donde fue alojado era el que constaba en el programa

d) Por lo tanto, / Sentimos muy sinceramente el problema que nos comunica. / Lo que ha ocurrido es que usted no ha seguido las instrucciones / lamentamos no poder atender su reclamación. / de lavado a mano de la prenda.

e) ya que es la única manera / Dado que las dificultades de comunicación pueden ser debidas a distintas causas, / le rogamos que nos traiga su aparato a la tienda, / de efectuar una comprobación completa de su funcionamiento.

2 Complete los textos indicando las causas y consecuencias de las decisiones empresariales.

a) Henry Ford se convirtió en uno de los magnates de la industria automovilística .... 1 en 1903, fundó la Ford Motor Company, que llegó a vender quince millones de unidades del modelo Ford T.

En 1913, decidió establecer en una de sus fábricas el sistema de cadenas de producción. Este sistema fue revolucionario .... 2 permitió la automatización de la producción, lo que significaba múltiples ventajas, la más significativa fue la reducción de tiempos, ... 3 que el montaje de un vehículo se redujo de 12 horas y 30 minutos a 1 hora y 33 minutos. .... 4 Ford pudo continuar la progresiva reducción de precios. Otra consecuencia fue la diversificación de funciones, ... 5 cada operario se encargaba siempre de realizar la misma tarea. A pesar de la monotonía de este tipo de trabajo, ... 6 quedó demostrada su eficacia y fue implantada en otras fábricas.

b) García Carrión acertó .... 1 supo aprovechar los cambios del mercado. .... 2 que consideraba un riesgo estar centrado en un solo producto, pensó en diversificar, y acertó. .... 3, apostó por el zumo y la tecnología del envase de cartón. .... 4 irrumpió en los supermercados con los zumos en envase de cartón, que se constituyeron en los dos factores de éxito.

c) ¿POR QUÉ COCA-COLA SIGUE SIENDO LÍDER DEL MERCADO?

Quizás .... 1 parte de una idea acertada: .... 2 la arrolladora ventaja de Coca-Cola se basa en la imagen, no en la superioridad del producto. .... 3, desde el punto de vista del consumidor, el sabor de Coca-Cola es superior; desde el punto de vista de la mercadotecnia, se trata de una cuestión de *marketing* de percepciones, ... 4 es el propio mercado el que otorga el concepto de calidad al producto.

Por otra parte, Roberto Goizueta, que presidió Coca-Cola desde 1981, reforzó la marca .... 5 sus accionistas en 1996, llegaron a obtener un 60% de rentabilidad y .... 6 que alcanzó una cuota de mercado del 46%.

SE RUEDA

En el Departamento de *Marketing* en el que trabajan están preparando el lanzamiento de un producto o servicio de su región.

a) Creación del producto

1 **Decisión sobre el tipo de producto o servicio.**

a) **Por parejas:** comenten el tipo de producto de su región que les gustaría promocionar y redacten una justificación sobre la conveniencia o necesidad de mejorar su imagen en el mercado.

    a) **producto de consumo:** vino, chocolate, especialidad gastronómica.
    b) **producto industrial:** maquinaria, vehículos, alimentación.
    c) **servicios:** teléfono, transportes, turismo, banca.
    d) **ocio y diversión:** cines, discoteca, parque temático.

b) **Todo el grupo:** presenten las distintas propuestas y discutan las distintas posibilidades de cada uno para formar los grupos de trabajo.

2 **En grupos de trabajo: Encuesta de Estudio de Mercado.**

a) **Por parejas:** formulen las preguntas de la encuesta a su compañero y anote sus respuestas.

	Usted	Su compañero
1. HOMBRE	☐	☐
MUJER	☐	☐
2. EDAD		
Menos de 18 años	☐	☐
Entre 18 y 25 años	☐	☐
Entre 25 y 35 años	☐	☐
Más de 35 años	☐	☐
3. PROFESIÓN		
Directivo	☐	☐
Técnico	☐	☐
Obrero cualificado	☐	☐
Obrero sin cualificar	☐	☐
En paro	☐	☐
4. NÚMERO DE PERSONAS EN SU FAMILIA		
Menos de tres	☐	☐
De tres a seis	☐	☐
Más de seis	☐	☐
5. VIVIENDA		
Propia	☐	☐
Alquilada	☐	☐
6. ¿CONSUME REFRESCOS?		
Sí	☐	☐
No	☐	☐
7. ¿DÓNDE LOS CONSUME?		
En casa	☐	☐
Empresa	☐	☐
Establecimientos de ocio	☐	☐

8. ¿QUIÉN LOS COMPRA EN SU FAMILIA?
Usted ....
Su compañero ....

	Usted	Su compañero
9. ¿DÓNDE LOS COMPRAN?		
Supermercado	☐	☐
Tiendas del barrio	☐	☐
Tiendas 24 horas	☐	☐
10. ¿QUÉ LES GUSTA DE ESTA BEBIDA?		
Sabor	☐	☐
Precio	☐	☐
Otros	☐	☐
11. ¿QUÉ TIPO DE ENVASE PREFIERE?		
Lata	☐	☐
Vidrio	☐	☐
Plástico	☐	☐
Brik	☐	☐
12. ¿QUÉ TAMAÑO PREFIERE?		
Familiar (litro y medio)	☐	☐
Litro	☐	☐
Medio litro	☐	☐
25 cl	☐	☐
13. SEÑALE EL PRECIO ACEPTABLE POR LITRO/EURO		
1 euro	☐	☐
0,80 céntimos	☐	☐
0,55 céntimos	☐	☐
0,40 céntimos	☐	☐

14. ¿CUÁL ES SU MARCA FAVORITA?
Usted ....
Su compañero ....

b) En grupos: comparen sus respuestas y redacten un perfil como consumidores de refrescos:

- Demográfico:
  - Edad.
  - Ocupación / Formación.
  - Tipo de familia.

- Hábitos de consumo:
- Tendencias de compra:
  - Lugar.
  - Envase.
  - Tamaño.
  - Precio.

c) Preparen un cuestionario para hacer el estudio de mercado potencial del producto elegido, y formulen las preguntas al resto del grupo.

- Objetivo: describir el mercado, segmento o público objetivo (clientes potenciales, lugar de residencia y estilo de vida).
- Contenido.
- Demográfico: edad, poder adquisitivo, sexo, ocupación, tipo de familia.
- Geográfico: zona.
- Tendencias de compra: frecuencia, tipo de establecimiento, comprador.

d) Hagan una descripción detallada del producto.

- Función / utilidad / prestación / necesidad que va a satisfacer.
- Público objetivo.
- Forma, envase, color, diseño, etc.

b) Creación de la marca y el logotipo

a) ¿Es relevante?

d) ¿Es fácil de recordar?

e) ¿Está disponible?

b) ¿Es diferenciador?

f) ¿Es flexible?

c) ¿Es atemporal?

1 Diseño de la marca: para crear el nombre comercial, revisen las recomendaciones del Encuadre Gramatical C.1. y comprueben si el nombre elegido cumple las características.

2 Diseño del logotipo: discutan las sensaciones que provocan los colores y comenten otros rasgos culturales que habría que tener en cuenta.

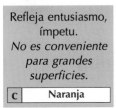

c Naranja
Refleja entusiasmo, ímpetu.
No es conveniente para grandes superficies.

d Amarillo
Luz y vida.
Simboliza la riqueza y el poder.

e Verde
Equilibrio.
Infunde tranquilidad y reposo.

f Azul
Produce serenidad.
Simboliza la inteligencia, lo infinito y la sabiduría.
En Pakistán e Irán es el color del luto.

a Negro
Pesadez, tristeza.
Simboliza la muerte

b Blanco
Expresión máxima de luz; sensación de amplitud.
Simboliza la pureza. En algunos países, como La India, es el color del luto.

g Rojo
Representa la realeza y la suntuosidad.
Produce emoción.

h Violeta
Es el color del prestigio.
Simboliza martirio y dolor.

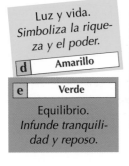   

3 Redacten uno o varios eslóganes, utilizando los siguientes recursos.

- El mensaje debe ser breve, conciso, enfático, atractivo y persuasivo.
- Recursos fonéticos, ortográficos, gramaticales y retóricos: ¿JUGAMOS?
- Ausencia del verbo en la frase: Frío, seco, inconfundible. Fino La Ina.
- Imperativo: Camina. No corras.
- Varios adjetivos juntos; superlativos: Un diseño arrogante, una imagen fascinante.
- Construcciones de pasiva y *se* impersonal: AMBIPUR. Se nota en el ambiente.

c) Preparación y lanzamiento de la campaña

1 Medios de comunicación: discutan las ventajas e inconvenientes de los distintos medios de comunicación y elijan el más apropiado para su producto.

Medio	Ventajas	Inconvenientes
Prensa diaria	Selectividad demográfica.	Escasa permanencia del mensaje. Mala calidad de impresión.
Revistas	Selectividad demográfica socioeconómica. Calidad de impresión.	Audiencia limitada. Coste muy elevado.
Radio	Selectividad demográfica.	Falta de apoyo visual. Impacto limitado. Poca permanencia del mensaje.
Televisión	Visión, sonido y movimiento. Elevada audiencia. Muy atractivo. Bajo coste por impacto.	Elevado coste. Poca permanencia del mensaje. Requiere repetición.
Internet (*banner, pop-up*)	Inmediatez. Atractivo.	Quejas de internautas.
Vallas en el exterior	Alcance y frecuencia elevados. Más económico.	Localización limitada.
Correo directo	Alta permanencia. Selectividad del mercado.	Coste elevado. Imagen de "correo basura".

2 Diseño del anuncio: discutan y seleccionen los elementos que van a incorporar en su anuncio:

- Fotografía, dibujo, viñetas cómicas.
- Escenario: nivel de vida, ambiente.
- Personajes: niños, adultos, animales.
- Música.

Recuerden:

AIDA

Atraer la atención: sorpresa, contraste, algo insólito o inesperado, impacto.

Suscitar interés: mediante asociaciones positivas o agradables e imaginación.

Deseo: provocar el deseo de obtener ese producto.

Acción: estimular la acción de compra.

3 Todos los grupos: presentación del producto y de la campaña publicitaria.

ARCHIVO DE PALABRAS

1 Su empresa va a exportar vehículos a España, México y Argentina y le han pedido que traduzca los términos para redactar el folleto de promoción.

correa del ventilador = banda de ventilador (M)
....

dirección asistida = dirección hidráulica (A)
....

claxon = bocina (A)
....

palanca de cambio = palanca de velocidad (M)
....

airbag = bolsa de aire (M)
....

Longitud/altura/anchura: 3,5 metros/ 150 cms/160cms **Potencia:** 60CV.
Velocidad máxima: 160 km/h.
Consumo medio: 6,8 litros.

descapotable = convertible (A y M)
....

depósito de gasolina = tanque de nafta (A) tanque de gasolina (M)
....

neumáticos = cubiertas, neumáticos (A) llantas (M)
....

intermitentes = guiños (A)
....

maletero = baúl (M)
....

salpicadero = guardabarros (A) salpicadera (M)
....

matrícula = patente (A) placa (M)
....

rueda de repuesto = rueda de auxilio (A) llanta de refacción (M)
....

parachoques = paragolpes (A) defensa (M)
....

M: México
A: Argentina

2 Escriba el término correspondiente a cada tipo de envase.

3 Indique el envase más adecuado para: *café, legumbres cocidas, leche y zumos, patatas fritas, refrescos, pan, galletas, sal.*

Multimedia

Archivo   Edición   Ver   Favoritos   Herramientas   Ayuda

← Atrás   → Adelante   ✕ Detener   ↻ Actualizar   🏠 Inicio   🔍 Búsqueda   ★ Favoritos   ✉ Correo   🖨 Imprimir

Dirección   http://www.home.es.netscape.com/es/   ▼   ↗ Ir a

Situación: Valorar los diseños de la publicidad y la imagen de productos y servicios en la Red.

¿Sabía que...? Internet, que ya está considerada como un medio publicitario convencional, al mismo nivel que la prensa, la radio y la televisión, y que controla el 0,97% de la inversión publicitaria, intenta crear imagen de marca de empresa por medio de diseños atractivos y dinámicos. De las páginas *web* corporativas se pasó al *banner*, al *flash* y al *pop-up* y, recientemente, al *intersite* (pequeñas películas o spots).

Tarea: Realizar un estudio comparativo sobre la publicidad en Internet.

Teclee:
- wwww.nologo.com. Dirección de la periodista canadiense Noemí Klein para conocer su argumentación sobre un mundo sin publicidad.
- www.yahoo.es y www.navegalia.com. Para valorar los diseños publicitarios.
- www.marketingdirecto.com y www.marketing-eficaz.com. Los aspectos del *marketing* en la Red.
- www.supertiendaviaplus.es. Para evaluar la presentación de los productos. Es una de las tiendas españolas más grandes de Internet, con un diseño atractivo y dinámico. Las secciones de viajes y reserva de coches son las más demandadas.
- www.iqvc.com. Permite pasear por un centro comercial.
- www.elmundomotor.com. Desde esta página se puede consultar toda la actividad relacionada con la automoción (prototipos, empresas, carreras, ocio y servicios).

Internet

MESA REDONDA
¿Se puede vivir en un mundo sin marcas?

Lean el texto y comenten las razones que les impulsan a comprar siempre determinadas marcas (alimentación, ropa, coches, electrodomésticos, etc.) y la posibilidad de un mundo sin publicidad y sin marcas, como propone Naomí Klein en su obra *No logo*, o comprar marcas blancas (sectores de la alimentación y electrodomésticos cuyo nombre es asignado por el distribuidor y no por la empresa).

El comportamiento del consumidor en el proceso de adquisición de bienes o servicios depende de los siguientes condicionantes:

a) Macroeconómicos y sociales: situación de la economía, efectos de la incorporación de la mujer al mercado de trabajo, tasa de natalidad.

b) Psicológicos: motivos racionales y motivos emocionales.

c) Influencias, moda y fidelidad.

Los motivos racionales están determinados por las necesidades prácticas y los emocionales, con el prestigio. Por ejemplo, en la decisión de adquirir un coche, los motivos racionales inducen a valorar el precio, las prestaciones, el servicio postventa, etc. En cambio, los motivos emocionales tienen que ver con la marca y la admiración que despierta.

Otros aspectos importantes son las influencias de un estilo de vida: personas o grupos de referencia, familiares, moda o la fidelidad a una marca, por miedo a cambiar y equivocarse o provocar una opinión desfavorable de otras personas.

CONTENIDOS

OBJETIVOS COMUNICATIVOS:
- Iniciar y mantener conversaciones telefónicas (grados de formalidad).
- Concertar, posponer y anular una cita de negocios.
- Recibir e informar a un cliente o visitante.
- Hacer una propuesta; aceptarla o rechazarla.
- Hablar de usos y costumbres.
- Exponer y argumentar explicaciones técnicas.
- Iniciar y mantener relaciones comerciales y sociales por escrito.
- Transmitir lo dicho o escrito por otros.
- Solicitar ayuda lingüística.

CONTENIDOS LINGÜÍSTICOS:
- Adverbios (afirmación, negación, frecuencia).
- Distributivos (*cada, sendos, tal/tales*).
- Perífrasis de gerundio: *andar / llevar / acabar / estar / ir / quedar / seguir / venir + gerundio.*
- Estilo directo e indirecto.
- Fracciones.
- Conectores: introducir el tema, enumerar argumentos, dar ejemplos y concluir.
- Horarios.
- Números romanos.
- Abreviaturas.
- Tratamientos.
- r / rr; ñ.

ESTRATEGIAS DE COMUNICACIÓN Y DE APRENDIZAJE:
Tomar notas de una conversación telefónica o de una entrevista oral; uso del teléfono; solicitar ayuda lingüística; recursos paralingüísticos, estilos y estrategias de negociación.

LÉXICO:
Recursos multimedia y desarrollos informáticos para las presentaciones de empresa; fórmulas de la comunicación social y profesional (presencial, por teléfono, oral y escrita).

TAREA:
Negociación de una operación de compra-venta.

TEXTOS:
Catálogo, factura, albarán, hoja de pedido, crédito documentario; mensajes electrónicos; tipos de cartas comerciales y sociales.

INTERNET:
Visita virtual a empresas de comercio electrónico.

MESA REDONDA:
Estilos en la negociación internacional.

episodio 5

Reuniones de negocios

Secuencias de

A. Prácticas del vídeo

1 Antes de ver el vídeo:

a) **Relacione los siguientes documentos con la descripción correspondiente.**

a

INDUSTRIA GRÁFICA

ALBARÁN Nº 2003/0062

Madrid, _27_ de _FEBRERO_ de 200 _3_

Cliente: ....
Dirección: ....

Cantidad	CUBIERTAS EDELSA:
2.175	Pliegos "PREPARACIÓN DIPLOMA SI...
2.150	Pliegos "GRAMÁTICA CURSO PRÁC...
650	Pliegos "EL BESO"

INDUSTRIA GRÁFICA - Conde de Peñalver, 225. ...

Habitáculo
Pº de Gracia, 98
28019 Madrid
tel.: 91 721 70 70

N.I.F.: 1923555
Francisco Domínguez
C/ Zurita, 18, 2º 1ª
39015 Sevilla
609 420 010

c

Nº 1060105 FECHA 09/03/03 VENDEDORA CRISTINA

CÓDIGO	DESCRIPCIÓN	CANTIDAD	P.V.P.	D.T.O.	TOTAL
966627	CÓRDOBA SOFA 2 PL ROJO EUR	1.00	800,00		800,00
590359	PORTES TIPO C ZONA-1 C	1.00	51,09		51,09

d

COMPRAVENTA INTERNACIONAL DE MERCADERIAS

En .... a .... de .... dos mil ....

REUNIDOS

De una parte, ... con domicilio en .... calle
nº .... Constituida regularmente con arreglo a las leyes de ...., en documento público otorgado ante el fedatario D. ...., e inscrita en el Registro mercantil con el número .... Actúa en su calidad de .... Se halla representada por D. ...., Consejero Delegado de la entidad, según poderes recogidos en escritura pública otorgada ante D. ...., convenientemente registrados en .... al ....

Y de otra D. ....
en .... calle ....
tada por don ....

e

NOVEDADES 2003

Métodos

Primer plano [Método para adultos]
Language learning method for adults
págs. 17-21

f

CRÉDITO DOCUMENTARIO

.... , a ....

Muy señores nuestros:

Sírvanse abrir por télex con cargo a nuestra cuenta en esa Caja de Ahorros, un crédito documentario irrevocable utilizable mediante pago .... en ....
(indíquese si a la vista/diferido ... días fecha ...)
a favor de ....
(nombre y dirección del beneficiario)
por un importe de ....
(divisa en cifra y letra)
valedero para presentación de documentos hasta ....
(fecha)
contra entrega de los siguientes documentos:
☐ Factura comercial en .... ejemplares, firmados
☐ Juego completo de conocimiento de embarque marítimo, mº s .... copias no negociables
☐ Talón de porte de ferrocarril .... notifíquese a ....
☐ Carta de porte por carretera (CMR) .... extendido a ....
☐ Conocimiento de porte aéreo (AWB) .... endosado a ....
☐ Certificado de origen
☐ Lista de contenido
☐ Certificado de un transitorio de haber expedido la mercancía
☐ Documento de tránsito comunitario (T1, T2, T2L)
☐ Póliza o certificado de seguro, expedido a favor de ....
☐ Otros: ....

☐ Seguro a cubrir por los compradores
☐ FOB .... ☐ C.F. ☐ C.I.F.
☐ Franco frontera ....
Todos los gastos y comisiones bancarias fuera de España serán por cuenta del beneficiario

Todo ello relativo a las siguientes mercancías:

A enviar desde .... con destino ....
(plaza)   (plaza)
a consignación de ....
trasbordos .... pueden efectuarse
(sí, no)
embarques parciales .... pueden admitirse
(sí, no)
Condiciones especiales: ....

1. Folleto que presenta de forma ordenada los artículos que se pueden adquirir en una fábrica o establecimiento comercial.

2. Documento en el que se detalla los objetos o artículos comprendidos en una venta, con expresión del número, peso o medida, calidad y valor o precio.

3. Documento comercial que se entrega al comprador y en el que se detallan las características de las mercancías y las condiciones de compra-venta.

4. Documento que acompaña a la mercancía en el momento de la entrega, especificando calidad y cantidad.

5. Impreso en el que el comprador especifica el encargo de mercancías a un vendedor, detallando los datos de facturación, dirección de entrega y forma de pago.

6. Medio de pago utilizado en transacciones comerciales internacionales, en virtud del cual un banco (emisor), a petición y de conformidad con su cliente (ordenante) se obliga efectuar un pago a un tercero (beneficiario) o a su orden.

2 Sobre el vídeo:

a) **Escuche las tres conversaciones y tome notas para contestar.**

	1	2	3
1. ¿Quién llama?			
2. ¿Para quién es la llamada?			
3. ¿El tratamiento es formal o informal?			

b) Señale la respuesta correcta. Justifique su respuesta.

		Sí	No	¿?
1ª llamada	**1.** La señora Casale desea conseguir una oferta mejor.	☐	☐	☐
	2. El señor Wolf tiene completa la agenda.	☐	☐	☐
2ª llamada	**3.** El teléfono está comunicando.	☐	☐	☐
	4. La señora Casale deja un mensaje porque el señor Wolf está reunido.	☐	☐	☐
3ª llamada	**5.** El señor Wolf acepta posponer la cita.	☐	☐	☐
	6. La entrevista queda acordada para el 23 de mayo, por la tarde.	☐	☐	☐

c) Anote las palabras que oiga con los siguientes sonidos.

/r/	/r̄/	/ɲ/

Después de ver el vídeo:

a) Reconstruya la conversación telefónica, a partir de las frases de las columnas A y B.

A

1. Muy bien, gracias.
2. Es que tengo que salir de viaje. ¿Podríamos vernos la semana próxima?
3. ¿Diga?
4. De acuerdo. Un saludo.
5. Sí. Soy yo.
6. ¿Podría ser después de las once?
7. Le llamé esta mañana para posponer nuestra reunión.

B

8. ¡Vaya! Lo lamento mucho.
9. Por supuesto. Entonces nos vemos el 23, a las once de la mañana, en mi despacho. Luego, podemos ir a comer.
10. ¿Me pone con Silvia Casale, por favor? Soy Klaus Wolf.
11. Buenas tardes y muchas gracias.
12. ¡Hola! ¿Qué tal?
13. A ver... Tengo libre el jueves por la mañana.

b) Por parejas: comparen sus soluciones y anoten las fórmulas utilizadas para:

1. Contestar el teléfono: . . . .
2. Identificarse: . . . .
3. Solicitar interlocutor: . . . .
4. Explicar el objeto de la llamada: . . . .
5. Concertar una entrevista: . . . .
6. Dar explicaciones o disculparse: . . . .
7. Ofrecer alternativas: . . . .
8. Confirmar datos de la cita: . . . .
9. Finalizar la llamada y despedirse: . . . .

Secuencias de

B.Tertulia

En grupos: completen la encuesta sobre sus costumbres en las reuniones de negocios y comenten con sus compañeros las diferencias culturales.

1. ¿Cuál es el mejor horario para las reuniones de negocios?
- ☐ Antes de las 9 de la mañana.
- ☐ A la hora de comer.
- ☐ Después de comer.
- ☐ A media tarde.

2. Puntualidad: ¿a qué hora llega a las entrevistas?
- ☐ Quince minutos antes.
- ☐ Cinco minutos antes.
- ☐ A la hora en punto.
- ☐ Cinco / Diez minutos después.

3. ¿Cuál es la indumentaria apropiada?
- ☐ Traje clásico, oscuro.
- ☐ Traje sin corbata / Vestido con complementos informales.
- ☐ Ropa informal.
- ☐ Otros.

4. ¿Cómo saluda?
- ☐ Con un movimiento de cabeza.
- ☐ Estrecha la mano.
- ☐ Sonríe solamente.
- ☐ Saludo tradicional.

5. ¿En la primera entrevista...?
- ☐ Lleva un regalo corporativo.
- ☐ Ofrece un obsequio típico de su país.
- ☐ Invita a almorzar / cenar.
- ☐ Invita a un espectáculo típico.

6. Comienza una reunión de negocios hablando de...?
- ☐ Deportes.
- ☐ Política.
- ☐ Tiempo.
- ☐ Ofreciendo una bebida.
- ☐ Historia de su empresa.
- ☐ Condiciones de la oferta.

C.

Por parejas: preparen y graben la conversación telefónica para concertar una reunión de negocios.

Estudiante A:

Su empresa desea contactar con otra empresa que va a participar en una feria que se celebra del miércoles al domingo. Concierte la entrevista, teniendo en cuenta los datos de su agenda.

Estudiante B:

Usted recibe la llamada de un posible cliente que desea establecer relaciones comerciales con su empresa en el transcurso de la feria en la que ustedes participan. Concierte la entrevista, teniendo en cuenta los compromisos de su agenda. A continuación tiene que volver a llamarle para cambiar la hora de la cita.

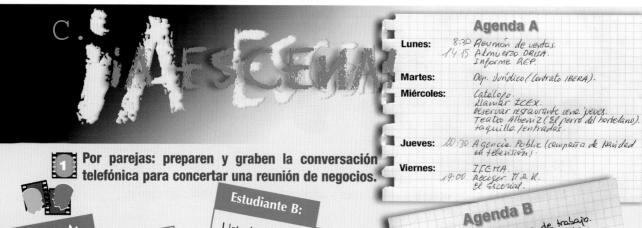

Agenda A

Lunes: 8:30 Reunión de ventas.
14.15 Almuerzo ORISA.
Informe REP.

Martes: Dep. Jurídico (contrato IBERA).

Miércoles: Catálogo.
Llamar ICEX.
Reservar restaurante cena jueves.
Teatro Albeniz (El perro del hortelano).
taquilla /entradas.

Jueves: 10:30 Agencia Public (campaña de Navidad en televisión).

Viernes: IFEMA.
19.00 Recoger M.A.K.
El Escorial.

Agenda B

Lunes: 09:00 Desayuno de trabajo.
Recoger traje-tinte.
18:30 Dentista.
Billete de avión.

Martes: Barcelona /vuelo 07:45
FIRA, Stand 34 (Sr. Puig).
Vuelo BCN /MAD 20:40

Miércoles: 20:00 IFEMA, stand 210

Jueves: 11:00 SCRIPT AB (stand).

Viernes: IFEMA
Consultoría.
Cena M.H.
Confirmar golf Pedros.

Sábado:

Domingo: 08:00 Maratón.

D.Permanezca a la escucha

Escuche la conversación entre Mauricio Duarte y Mercedes Álvarez e indique la respuesta correcta.

a) La reunión se celebró en un despacho / cafetería / stand.

b) La señora Álvarez ofreció a su colega café / café o refrescos / café o té.

c) El primer contacto se había producido por teléfono / por fax / en otra feria.

d) El pedido en firme era de 50 sofás y 20 tresillos / 50 tresillos y 20 sofás / 2 sofás y 5 tresillos.

e) El pago se fijó mediante crédito documentario revocable / confirmado / irrevocable.

Escuche de nuevo la entrevista para completar los datos en el ordenador de Mercedes Álvarez.

Pocket PC

Inicio 7:48

PORTUGAL/Lisboa
Contacto: Mauricio Duarte
Fecha: 24-11-2...........
Artículo: .... **Referencia:** ....
Pedido nº.: 38.452/03
Cantidad: ....
condiciones de entrega: ....
Fechas(s) de entrega: ....
Precio: ....
Descuento: ....
Forma de pago: ....
Observaciones: ....

Escuche y complete el correo electrónico que Mercedes Álvarez ha enviado a su jefe.

Nueva

Mensaje nuevo

Archivo   Edición   Ver   Insertar   Formato   Herramientas   Mensaje   Ayuda

Enviar   Cortar   Copiar   Pegar   Deshacer   Comprobar   Ortografía   Adjuntar   Prioridad

Para: jefe@empresa.com

CC:

Asunto: Entrevista con Duarte

Luis:

La entrevista de esta tarde con Duarte, de PORTULAR, ha ido muy bien.

El señor Duarte me ......1...... que nuestro catálogo les ......2...... favorablemente y que ......3...... hacer un pedido en firme de cincuenta sofás Guadarrama y veinte tresillos Escorial, siempre y cuando la entrega ......4...... a mediados de diciembre. Le ......5...... fraccionar la entrega y, finalmente, ...6...... .

En relación con el precio, le ......7...... un descuento del 10%, si bien le ......8...... que se incrementaría este descuento en las próximas transacciones. Finalmente, acordamos un descuento del ......9...... Por lo que respecta a la forma de pago, me ......10...... crédito documentario irrevocable.

Sobre la feria, te diré que está yendo muy bien y que hay muy buenas expectativas, pero que yo sigo soñando con las vacaciones que me vas a dar cuando termine.

Un saludo,

M. Álvarez

A) Transmitir lo que han dicho o escrito otros

El Estilo Indirecto

El estilo indirecto reproduce lo que han dicho, escrito o pensado otras personas por medio de cambios gramaticales.

En las **oraciones afirmativas** y **negativas**, la oración subordinada se une a la principal mediante la conjunción **que**.

El señor García dijo: "No **estoy** de acuerdo con el contrato."
El señor García dijo **que** no **estaba** de acuerdo con el contrato.

En las **oraciones interrogativas**, el nexo de unión es **si** o el interrogativo correspondiente.

El cliente preguntó: "¿**Tienen** ustedes agendas electrónicas?"
El cliente preguntó **si teníamos** agendas electrónicas.

El director preguntó: "¿Dónde **están** los folletos de la Feria?"
El director quería saber **dónde estaban** los folletos de la Feria.

Los cambios afectan a:
• **Los tiempos verbales:** estoy = estaba; se planteará = se plantearía.
• **Los pronombres personales y a los posesivos:** yo = él; mi = su.
• **Los adverbios de lugar y de tiempo:** mañana = el día siguiente; aquí = allí.

Se puede transmitir informaciones o peticiones, órdenes o recomendaciones.
Transmitir información: decir, comunicar, contar, explicar, preguntar, informar, advertir...
Transmitir peticiones, órdenes o recomendaciones: pedir, ordenar, aconsejar, rogar, prohibir, recomendar, sugerir.

Estilo Directo	Forma en pasado	Estilo Indirecto
Presente: Me voy a mi despacho.	Dijo que...	**Pretérito imperfecto:** ... que se iba a su despacho.
Futuro: Estudiaremos su oferta.	Comunicó que...	**Condicional simple:** ... estudiarían nuestra oferta.
Futuro perfecto: La reunión habrá terminado.	Explicó que... Contó que...	**Condicional compuesto:** ... la reunión habría terminado.
Pretérito perfecto: La Feria ha ido muy bien.	Preguntó si...	**Pretérito pluscuamperfecto:** ... la Feria había ido muy bien.
Pretérito indefinido: Firmamos el contrato ayer.	Informó de que... Advirtió que...	**Pretérito pluscuamperfecto:** ... que habían firmado el contrato ayer.
Imperativo: Dame la documentación.	Ordenó que...	**Pretérito imperfecto de subjuntivo:** ... que le diese la documentación.
Presente de subjuntivo: Que arreglen la avería. Espero que alcancemos los objetivos.	Aconsejó que... Rogó que... Prohibió que...	**Pretérito imperfecto de subjuntivo:** ... que arreglasen la avería. ... que esperaba que alcanzásemos los objetivos.
Pretérito perfecto de subjuntivo: Quizá no te haya entendido bien.	Recomendó que... Sugirió que...	**Pretérito pluscuamperfecto de subjuntivo:** Dijo que quizá no le hubiera entendido bien.

1 Lea las comunicaciones y señale la forma en que se han transmitido. A continuación, redacte las comunicaciones en estilo indirecto.

a) presencial **c)** por teléfono **e)** prensa

b) vídeoconferencia **d)** por correo electrónico **f)** *post-it*

1

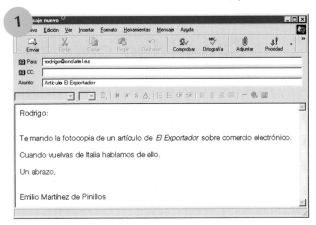

```
[Mensaje nuevo]                                           _ □ X
Nuevo  Edición  Ver  Insertar  Formato  Herramientas  Mensaje  Ayuda
  Enviar   Cortar  Copiar  Pegar  Deshacer  Comprobar  Ortografía  Adjuntar  Prioridad
Para:    rodrigo@ondatel.es
CC:
Asunto:  Artículo El Exportador
─────────────────────────────────────────────────
Rodrigo:

Te mando la fotocopia de un artículo de El Exportador sobre comercio electrónico.

Cuando vuelvas de Italia hablamos de ello.

Un abrazo,


Emilio Martínez de Pinillos
```

3

◆ ¡Hombre, Rodrigo! ¿Todo bien por Italia?

✱ ¡Hola, María! Sí, todo muy bien.

◆ Me alegro. Oye, cuando puedas hablamos de la tarjeta de fidelización del cliente.

✱ ¡Ya, hablamos ya! Ando dándole vueltas a una idea sobre ese tema que creo que es muy original. ¿Nos vemos dentro de una hora en tu despacho?

◆ Perfecto.

2

Silvia... Venga un momento a mi despacho, por favor. Tenemos que revisar mis compromisos para la semana que viene.

Ahora mismo voy, señor Ulloa.

4

Las empresas de click

"Los expertos aseguran que el uso de Internet dominará en pocos años todos los sectores económicos."

"De momento, como pueden ustedes ver, el comercio electrónico ya ha tenido un gran impacto."

"En nuestra opinión, basada en un año de experiencia, el comercio electrónico es un instrumento de globalización con un coste moderado que..."

5

DE: Silvia
PARA: Sr. Ulloa   Fecha: 7/10/03
                          Hora: 10:20

Le ha llamado su mujer dos veces.
Es urgente. Contactar móvil.
    Silvia

6

CONECTADOS AL MERCADO GLOBAL

La carta de presentación de Internet a las empresas está compuesta por un mercado con más de 320 millones de potenciales consumidores repartidos en más de 200 países. Todo ello va a depender de un click.

1. Emilio Martínez de Pinillos le comunica a Rodrigo Ulloa que...

2. Ulloa le pide a su secretaria que...

3. María saluda a Rodrigo y...

4. El conferenciante dice que...

5. La secretaria comunica a su jefe que...

6. De acuerdo con el artículo de prensa...

2 Guía para empresas de comercio electrónico.

a) Relacione cada titular con el comentario correspondiente.

1. **¿Cómo empezar?**

2. **¿QUÉ PRODUCTOS VENDER?**

3. **LA DISTRIBUCIÓN ES LA CLAVE**

4. **ESPECIALIZACIÓN**

5. **Seguridad ante todo**

a) "Conviene buscar un posicionamiento muy especializado. Si elegimos ser generalistas, tenemos unas posibilidades casi nulas de destacar", nos recuerda Alain Jorda, consultor en estrategias de negocios de Internet.

b) "Hay que buscar un sector en el que no haya mucha competencia y tener en cuenta las tendencias del mercado. Los cambios de tecnología, de hábitos y de comportamiento de los consumidores o de la capacidad logística, hacen que sea imposible determinar qué es lo que se podrá vender mañana", señala Roberto Fernández, vicedecano de Ciencias Económicas y Empresariales de la Universidad San Pablo CEU.

c) "Lo más importante es llegar el primero al público. Para ello se debe buscar un nicho de mercado entre el amplio mercado que queda por definir en la Red", comenta Alain Jorda.

d) El 70% de las compras en Internet se pagan con tarjeta de crédito, según la Asociación Española de Comercio Electrónico (AECE). Éste es uno de los principales frenos para muchos clientes que no consideran seguro dejar sus datos en la Red. Existen otras alternativas de pago: pagar contra reembolso o por medio de la firma electrónica, sistema de seguridad que garantiza la privacidad de los datos al quedar estos encriptados por una clave secreta. "Sin embargo, este método obliga a los usuarios a solicitar un certificado a los proveedores, lo que puede suponer una limitación a la hora de vender", apunta Judit Barnola, abogada de la consultora Landwell.

e) Internet permite llegar a un mercado muy amplio pero para tener éxito hay que ofrecer un servicio rápido. "El consumidor debe recibir sus productos en el plazo máximo de 30 días. Si lo incumplimos, el cliente tiene derecho a renunciar a él", dice Judit Barnola.

(Extracto de *Emprendedores*, nº 35)

b) **Por parejas: comenten las orientaciones de los expertos en comercio electrónico y redacten un resumen escrito en pasado basado en estos comentarios.**

B) Perífrasis de gerundio

Forma	Uso	Ejemplo
Andar / *Llevar* + gerundio	Expresa una acción durativa.	Siempre **andaban discutiendo** en público. **Llevo hablando** por teléfono tres cuartos de hora.
Acabar / *Terminar* + gerundio	Expresa el desenlace de una acción.	**Acabé cediendo** en el descuento.
Estar + gerundio	Indica una acción que se realiza en el momento.	**Estaban preparando** el catálogo.
Ir + gerundio	Expresa el modo.	**Vamos ganando** cuota de mercado.
Quedar(se) + gerundio	Expresa permanencia.	**Nos quedamos revisando** las facturas.
Seguir + gerundio	Expresa la continuidad de una acción.	**Siguieron negociando** hasta el amanecer.
Venir + gerundio	Expresa una idea constante.	**Venía pensando** acerca del comercio electrónico.

1 Complete los diálogos con la forma apropiada de los verbos entre paréntesis.

a) ¡Señorita! ¡Preste atención a la carta que le estoy dictando!

¿Eh? ¡Ah! Perdone, es que .... (andar / pensar) en mi trabajo.

b) ¿Cómo es que llegas tan tarde?

Pues, porque perdí el autobús y tuve que .... (seguir / esperar) un cuarto de hora más.

c) El premio para el mejor vendedor es un crucero.

¡Un crucero! Yo .... (venir / soñar) con hacer un crucero desde que era pequeño.

d) Mirta, ¿............... usted .... algo? (estar / hacer)

Sí, señor director, ... (estar / revisar) el correo.

e) Nosotros .... (llevar / analizar) el mercado en Internet varios meses.

2 En grupos de tres: preparen la negociación de una operación de compra-venta de ordenadores de bolsillo.

Estudiante A:
Usted es representante de una firma de ordenadores de bolsillo y recibe la llamada de un cliente.

Estudiante B:
Usted desea adquirir ordenadores de bolsillo y llama a su proveedor.

Estudiante C:
Tome notas sobre el proceso de negociación para hacer un informe oral a sus compañeros sobre los compromisos.

CONDICIONES	A Exportador / Vendedor	B Importador / Comprador	C Compromisos
Pedido mínimo	200 unidades	----------------	
Descuento	8%	10%	
Entrega	30 días	20 días (máximo)	
Pago	60 días	90 días	
Descuento adicional	-2%	-3%	
Moneda de pago	Euro	----------------	
Incoterms 2000	¿?	CPT Río de Janeiro	
Manual de instrucciones	Español / Inglés	Multilingüe	
Cláusula de penalización	(30% anulación pedido)	----------------	

Recuerden las etapas de la negociación

- Saludar e intercambiar preguntas de cortesía.
- Establecer posición inicial / condiciones.
- Intercambiar propuestas.
- Justificar posiciones respectivas.
- Intentar solucionar las diferencias.
- Adoptar compromisos y cerrar acuerdos.
- Despedirse.

C) Exposición y argumentación

1 Lea las fórmulas e indique las que utilizaría en una reunión para:

a) Saludar y presentarse.
b) Introducir el tema.
c) Enumerar argumentos.
d) Poner ejemplos.
e) Aludir a información gráfica o a documentación.
f) Resumir lo expuesto.
g) Concluir la exposición.
h) Abrir turno de intervenciones.

I. En primer lugar...
En segundo lugar...
Cabe añadir que...

II. Como se puede observar en el gráfico...
En la pantalla podemos apreciar...
En la documentación que les hemos facilitado...

III. Así pues, los puntos más importantes...
En pocas palabras...
En resumen / Para resumir...

IV. Si tienen alguna pregunta, no duden en...
A continuación, contestaremos muy gustosamente a sus preguntas.
Estamos a su disposición para aclarar cualquier punto...

V. Por ejemplo / Como ejemplo...
Para ilustrar lo que acabo de decir...
Veamos varios casos...

VI. Buenos días / tardes, señoras y señores.
Les doy la bienvenida en nombre de...
Permítanme que me presente...
Tengo el gusto de dirigirme a ustedes en nombre de...

VII. Como saben ustedes, nuestra empresa...
El objetivo de esta reunión / presentación / jornada técnica...
De acuerdo con nuestro programa...

VIII. Todo esto nos lleva a la conclusión...
En definitiva...
Esto es todo por nuestra parte. Muchas gracias por su atención.

2 **Escuche la presentación de una consultoría de proyectos de comercio electrónico.**

a) Marque en el texto el orden correcto de la exposición.

b) Subraye las fórmulas utilizadas y relaciónelas con la función correspondiente (saludos y presentaciones, introducción del tema, argumentación...)

a) En la actualidad, hay más de 900 millones de páginas 'web'. Así que, para que una página destaque de otra, hay que aplicar conceptos de marketing y promoción de forma adecuada y eficaz. ☐

b) Como ustedes saben, la reunión de esta mañana está dedicada a la exposición de estrategias para desarrollar un negocio en la Red y las soluciones que nuestra empresa pone a su disposición. ☐

c) En la pantalla vemos algunas estrategias de éxito de negocios en Internet. Por ejemplo:

Concretar la oferta y ampliarla después. Así lo hizo Amazon, que empezó con libros y, luego, se introdujo en la música y juguetes. Otras posibilidades son proponer algo único, incorporar contenidos útiles y ofrecer buenos precios. ☐

d) Buenos días. Me llamo Ramón Núñez y soy el Director de 'Marketing' de Comercio Global -E. ☐

e) En pocas palabras, ejercemos de agentes suyos en la Red, con un sólido sistema de información y con las mejores soluciones de pago seguro.

Muchas gracias por su atención y quedo a su disposición para cualquier consulta que deseen plantearme. ☐

f) En segundo lugar, gestionamos su 'web' de manera que sea un espacio vivo y dinámico. ☐

g) En Comercio Global-E estamos en condiciones de desarrollar su producto.

En primer lugar, les ofrecemos soluciones personalizadas para la integración de su tienda 'on line', con la imagen adecuada y unos diseños vanguardistas. ☐

h) En tercer lugar, les garantizamos un acceso a la Red sencillo, rápido y con la máxima seguridad.

Cabe añadir que nuestro Departamento de I+D nos permite atender sus exigencias y necesidades con un enfoque eficaz. ☐

3 **En grupos: valoren los siguientes aspectos de la presentación.**

- Impresión general de la presentación y del ponente.
- Objetivo de la presentación: informar o persuadir.
- Contenido: bien / mal estructurado; claridad y orden lógico de las ideas; ejemplos relevantes.
- Ponente: convincente / inseguro; tono y volumen de voz, pronunciación, velocidad de la exposición, lenguaje sencillo / técnico.
- Utilización de recursos visuales.

D) Correspondencia comercial

1 Relacione las partes de una carta con el texto o fórmula correspondiente.

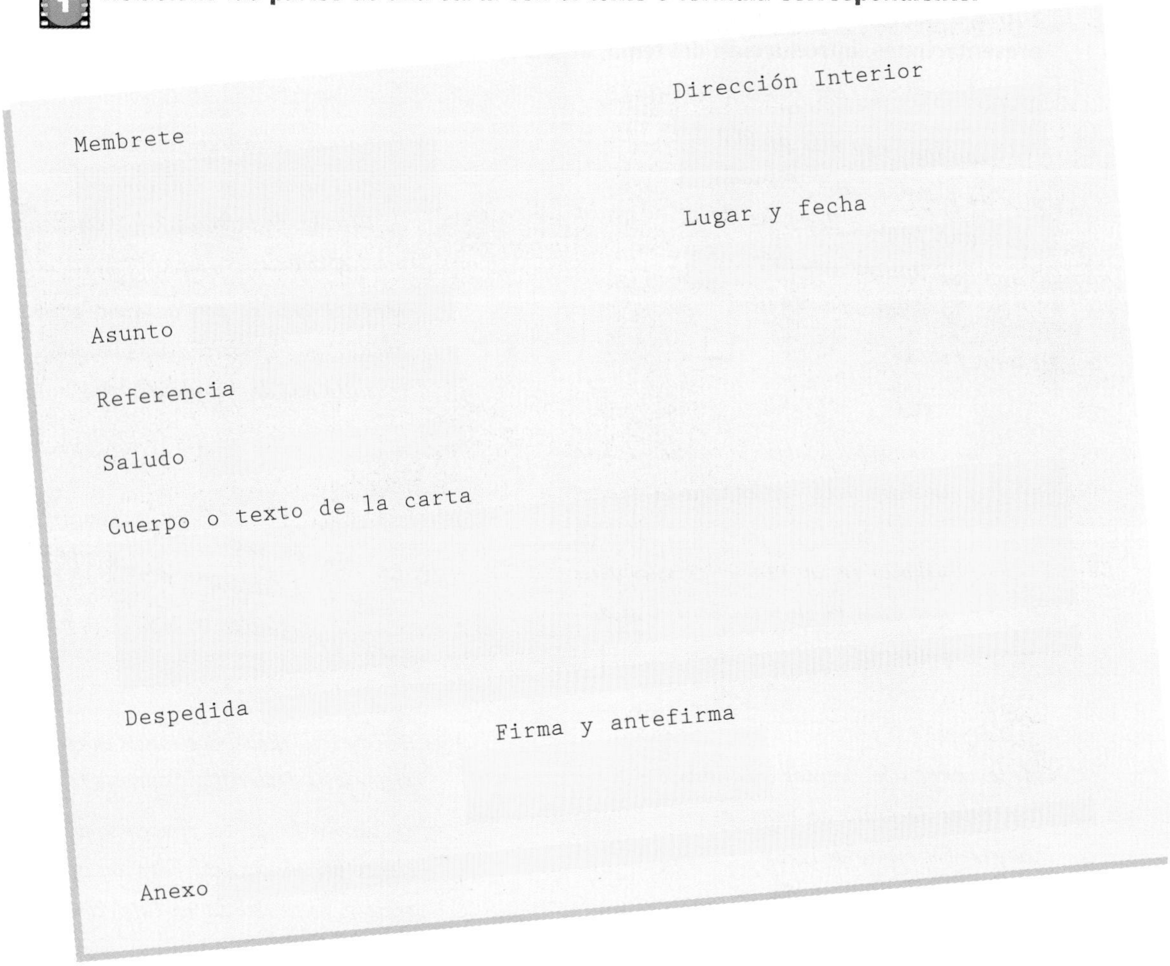

Dirección Interior

Membrete

Lugar y fecha

Asunto

Referencia

Saludo

Cuerpo o texto de la carta

Despedida

Firma y antefirma

Anexo

a) En espera de que nuestra oferta sea de su agrado, quedamos a su entera disposición.

b) Raúl de la Peña
Departamento Comercial

c) Como continuación de nuestra conversación telefónica en la que nos solicitaban información sobre nuestros servicios de transporte de mercancías para distintas zonas de Europa, les adjuntamos nuestra oferta con la que esperamos llegar a un acuerdo de colaboración entre nuestra empresas.

d) Muy señores nuestros:

e) Barcelona, 27 de diciembre de 2....

f) Oferta de servicios.

g) El tiempo de tránsito que garantizamos en la actualidad es de 48 a 72 horas, dependiendo del origen y destino de las mercancías.

h) Conservera AZUL S.A.
C/ Real, 10
A Coruña
ESPAÑA

i) BARNA Cargo Transitarios
Polígono Industrial El Carrer (nave 345)
Teléfono / fax: 93 2 44 00 00/03/06
08432 El Prat-Barcelona
ESPAÑA

j) Atentamente,

k) n/ref.: EXP-640-G

l) Lista de precios y servicios

gramatical

2 Observe el procedimiento de una operación de compra-venta y relacionen las fórmulas que corresponden a cada fase.

Importador / Comprador

Exportador / Vendedor

1 Solicitud de información-Inicio de contacto e información

3 Oferta

2 Solicitud de oferta

5 Confirmación de las condiciones del pedido

4 Formalización del pedido

6 Envío y facturación

7 Reclamación

a) Les agradeceríamos se sirvieran enviarnos a la mayor brevedad posible su cheque por la cantidad de...

b) Lamentamos manifestarles que detectamos daños en las lavadoras de su último envío.

c) Después de estudiar su oferta del 12 del mes pasado, nos es grato solicitarles el siguiente pedido.

d) Les agradeceríamos que nos enviasen sus catálogos, así como indicaciones de sus condiciones de venta...

e) En contestación a su carta, les remitimos nuestros catálogos.

f) Con esta fecha acusamos recibo de su escrito y les solicitamos se sirvan enviarnos su oferta para...

g) Tenemos el gusto de adjuntarles nuestra oferta.

SE RUEDA

Simulación por parejas y en grupo: ustedes están interesados en establecer relaciones comerciales para realizar una operación de compra-venta. Decidan quién es el importador y quién es el exportador.

1 **Por parejas: seleccionen un artículo para su operación de compra-venta.**

Estudiante A:

Usted es el Exportador. Describa brevemente los productos y conteste a las preguntas de su compañero.

Estudiante B:

Usted es el Importador. Formule preguntas a su compañero acerca de la calidad y características de los productos.

2 **Formalización de la oferta.**

Importador: complete su carta para solicitar una oferta con las condiciones de venta.

```
(Logotipo)

..........................  (datos de la empresa importadora)
..........................  (lugar y fecha)
..........................  (datos de la empresa exportadora)
Asunto: solicitud de información y oferta.

n/ref.IMP/168-H


    Estimados señores:

    Somos una empresa dedicada desde hace .............. años a la
importación de ............. y, dado el incremento de la demanda de
estos artículos, estamos pensando en ampliar la gama.

    El mes pasado, con ocasión de la presentación de su catálogo en la
Feria de .............., tuvimos la ocasión de conocer sus novedades en
............. y estamos interesados en incluirlas en la selección para
nuestros clientes.

    Les agradeceríamos que nos pasasen una oferta de compra indican-
do precios, descuentos y demás condiciones de venta.

    En espera de sus noticias, les saluda atentamente,


                    ................
                    Director/a de Importación.
```

Exportador: complete la carta, indicando las condiciones de su oferta: precios, descuentos, etc.

(Logotipo)

.... (datos de la empresa exportadora)

.... (lugar y fecha)

.... (datos de la empresa importadora)

Asunto: oferta.

s/ref.: IMP/168-H

n/ref.: EXP/30.402-07

Muy señores nuestros:

Tenemos el gusto de acusar recibo de su petición de oferta de nuestro ....

En relación con su solicitud, le detallamos nuestros mejores precios: .... euros por unidad +

IVA, para el modelo ...., así como la aplicación de un descuento de un 8%, precio al contado, con los

cuales esperamos poder llegar a un acuerdo entre nuestras compañías.

Dado que nosotros también estamos muy interesados en establecer relaciones comerciales con ustedes, nos

gustaría concertar una entrevista con el fin de discutir estos detalles más detenidamente.

Confiamos en que nuestra oferta sea de su agrado.

Muy atentamente,

....

Director/-a de Exportación

b) Concertar una cita de negocios

1 **Escriban en la agenda correspondiente sus compromisos profesionales y sociales de la semana: reuniones, redacción de informes, viajes, comidas, cenas, consulta a especialistas, deportes, espectáculos, etc.**

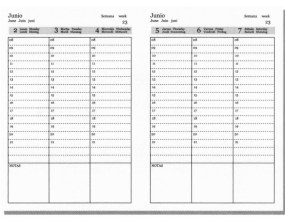

2 **Por parejas: tienen que concertar una cita de negocios por teléfono.**

Estudiante A:

Usted es el exportador y recibe la llamada de un posible cliente con quien desea concertar una entrevista de negocios. Está dispuesto a cancelar algunos de sus compromisos.

Estudiante B:

Usted es el importador y llama a al exportador para concertar una cita. No puede alterar sus compromisos.

1 Escuche y relacione las observaciones. ¿Es importante la comunicación no verbal en las negociaciones?

a) 55% es percibido	1. de cómo se dice.
b) 7%	2. depende de lo que se dice.
c) 38%	3. de forma no verbal.
d) Estrechar efusivamente la mano	4. no es bueno interrumpir los pensamientos del interlocutor.
e) Tocarse la cara puede significar	5. que no es ingenuo.
f) Pasarse la mano por la barbilla	6. es casi seguro que va a decir "no".
g) En ese momento	7. puede destruir el efecto buscado.
h) Si alguien cruza los brazos	8. indica que se está tomando una decisión.

2 En grupo: califiquen de uno a diez las siguientes cualidades del buen negociador y comenten sus resultados con sus compañeros.

- ☐ Conocimiento profundo del tema.
- ☐ Preparación de la reunión.
- ☐ Empatía.
- ☐ Flexibilidad.
- ☐ Saber escuchar.
- ☐ Astucia.
- ☐ Saber interpretar el lenguaje corporal.
- ☐ Sentido del humor.
- ☐ No subestimar al contrario.
- ☐ Paciencia.

3 Reunión de negocios: preparen la negociación de la operación de compra-venta del producto que hayan seleccionado en a) 1.

IMPORTADOR COMPRADOR		EXPORTADOR VENDEDOR
Descuento, pago, entrega, descuento adicional.	Saludar. Establecer posición inicial.	Pedido mínimo, descuento, entrega.
EXW / CIF.	Intercambiar propuestas.	EXW / FOB.
Forma de pago.	Resolver conflictos de intereses. Acuerdo y ratificación. Despedirse.	Forma de pago. Cláusula de penalización.

4 En grupo: exposición del desarrollo de la reunión de negocios, detallando los acuerdos alcanzados o explicando las razones de la imposibilidad de cerrar el trato.

ARCHIVO DE PALABRAS

1 **Le han regalado un ordenador de mano.**

a) **Relacione los cuatro iconos con las siguientes posibilidades:**

- Comunicación.
- Herramientas.
- Extras.
- Aplicaciones.

b) **Localice los iconos correspondientes a:**

- **Comunicación:** mensajes SMS de texto y fax, llamadas recientes, agenda y correo electrónico.

- **Extras:** conversor de pesos y medidas, calculadora, horarios, juegos.

- **Aplicaciones:** agenda profesional y social, programado de tareas, recordatorio de reuniones y cumpleaños, cuaderno de notas, grabadora de notas e ideas, alerta para recordar llamadas.

- **Herramientas:** teclado para crear tonos, posibilidades para descargar juegos y aplicaciones, sincronizador de datos de contactos y compromisos.

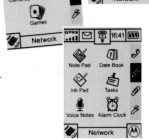

2 **Relacione las cláusulas INCOTERMS con la sigla correspondiente y escriba la traducción en su idioma.**

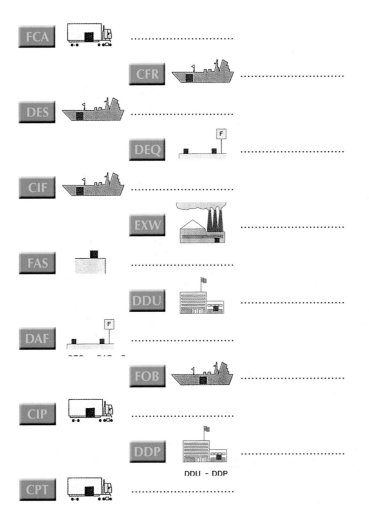

a) El vendedor pone las mercancías a disposición del comprador en los locales del vendedor: en fábrica.

b) Libre transportista.

c) Libre al costado del buque.

d) Libre a bordo.

e) Coste y flete.

f) Coste, seguro y flete.

g) Flete, porte pagado hasta.

h) Flete, porte y seguro pagado hasta.

i) Entrega en frontera.

j) Entrega sobre el buque.

k) Entrega sobre el muelle (impuestos aduaneros pagados).

l) Entregado, impuestos aduaneros no pagados.

m) Entregado, impuestos aduaneros pagados.

Multimedia

Archivo	Edición	Ver	Favoritos	Herramientas	Ayuda

← Atrás	→ Adelante	✖ Detener	↻ Actualizar	⌂ Inicio	🔍 Búsqueda	★ Favoritos	✉ Correo	Imprimir

Dirección http://www.home.es.netscape.com/es/ ▾ ↗ Ir a

Situación: Visitar empresas de comercio electrónico para analizar sus estrategias y gestión de catálogos en línea.

¿Sabía que...? Recientemente se ha incrementado el número de empresas que realizan sus actividades comerciales en la Red. Si bien los productos que se compran varían de un país a otro, en general, los servicios turísticos y la adquisición de libros y artículos de electrónica son los que se colocan en primera posición.

Tarea: Informarse sobre los procedimientos del comercio electrónico: formularios de pedidos, formas de pago, distribución.

Teclee:
- www.internet.com/sectios/marketing.html. Para obtener información sobre el comercio electrónico (términos utilizados, noticias, etc.).
- www.viajes.buscaportal.com. Es un portal que ofrece información turística sobre España y diversos países de Hispanoamérica.
- www.amadeus.net/home/index-es.html. Amadeus es un sistema mediante el cual las compañías aéreas pueden comercializar sus productos.
- www.areapc.com. La tienda virtual dedicada a productos informáticos, con información personalizada para problemas informáticos.
- www.elclaustro.com. Especialista en el mueble antiguo, con una interesante colección de muebles españoles y su servicio de listas de bodas.
- www.agalicia.com/marisco/faq. Para encargar marisco de Galicia. En el puerto se pueden ver los productos que están a mejor precio.
- www.loslibros.com. Es una librería especializada en literatura española, con más de 150 000 títulos.
- www.elvino.com. Para los amantes del vino resulta muy interesante con guías, foros y chats sobre los vinos españoles y una tienda en línea.

Internet

MESA REDONDA
Estilos en la negociación internacional

Lean el texto y expresen su opinión y conclusiones acerca de los estilos internacionales de negociación y comenten sus experiencias.

El negociador del norte de Europa se caracteriza por su seriedad y rigidez de planteamientos y trato sumamente respetuoso. Crea un clima de neutralidad y profesionalidad. Prefiere escuchar y no se deja influir por los sentimientos y las emociones. Sus motivaciones son la calidad y la garantía de que se cumplirán los acuerdos.

El negociador del sur de Europa se caracteriza por su afabilidad. Habla más que escucha. Es sensible a las emociones y muy intuitivo. Le gusta defender su cultura y costumbres. Sus motivaciones son la comodidad y la confianza. Espera una oferta para adaptar sus objetivos a ella.

El negociador oriental se caracteriza por su exquisitez en las formas y trato. Crea un ambiente de gran tranquilidad. Sus motivaciones para negociar se basan en la garantía, seguridad y relación adecuada entre lo que pagan y lo que reciben. La garantía la proporciona la imagen del que negocia con ellos.

El negociador norteamericano es de carácter sencillo, espontáneo y seguro de sí mismo. Transmite un alto grado de cordialidad. Le gusta que la otra parte esté cómoda y confiada. Sus motivaciones son de tipo pragmático, dando mucha importancia al beneficio y rentabilidad. No le gusta perder el tiempo.

CONTENIDOS

OBJETIVOS COMUNICATIVOS:
- Solicitar y dar información sobre servicios turísticos.
- Hacer reservas de transporte y alojamiento.
- Hablar de horarios y categorías de servicios.
- Informar(se) sobre la organización de ferias internacionales.
- Planificar y expresar condiciones de participación en ferias internacionales.
- Hablar de trámites del transporte internacional.
- Preguntar y dar instrucciones sobre modos de actuación.
- Justificar una acción y expresar valoraciones.
- Expresar concesión, contraste y oposición.
- Intercambiar anécdotas y hablar de aspectos interculturales.
- Hablar de condiciones meteorológicas.
- Expresar normas y consejos sanitarios para viajes internacionales.

CONTENIDOS LINGÜÍSTICOS:
- Indefinidos y cuantitativos (*uno, otro, muchos, todos, algunos, nadie, algo*).
- Adverbios de modo.
- Conjunciones y locuciones modales.
- Verbos defectivos relacionados con fenómenos atmosféricos.
- Perífrasis de participio.
- Indicativo y subjuntivo en oraciones sustantivas.
- Oraciones modales.
- Oraciones concesivas.
- Interjecciones.
- Conectores. Reserva, concesión y oposición.
- x, b / v; diptongos.
- Abreviaturas y siglas del turismo y comercio internacional.

ESTRATEGIAS DE COMUNICACIÓN Y DE APRENDIZAJE:
Comunicación no verbal, interpretación y transferencia de información no textual; estadísticas; extraer y organizar información relevante; interacción con soportes de información y comunicación; uso del diccionario; preparar una presentación oral.

LÉXICO:
Medios de transporte, servicios turísticos, mobiliario de oficina, horarios, gastronomía y ocio, asistencia médica, refranes, recursos audiovisuales para la comunicación.

TAREA:
Participación en una feria internacional.

TEXTOS:
Documentos de transporte, folletos turísticos, narración y descripción.

INTERNET:
Visita de instituciones feriales de España e Hispanoamérica.

MESA REDONDA:
Comidas de negocios.

episodio 6

Viaje de negocios

A.Prácticas del vídeo

1 **Antes de ver el vídeo:**

a) Relacione los recursos para la comunicación con los artículos del catálogo.
A continuación, tradúzcalos a su idioma.

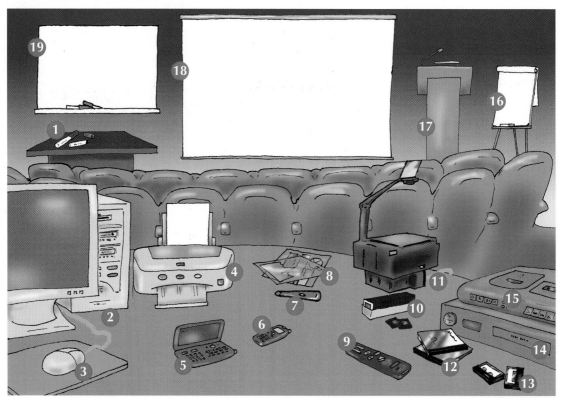

COMEX SOLUCIONES PARA COMUNICAR MEJOR

Presentaciones audiovisuales:
- [ ] Proyector de vídeo
- [ ] Retroproyector de transparencias
- [ ] Proyector de diapositivas
- [ ] Reproductor de casetes y CD

Accesorios:
- [ ] Pizarra blanca
- [ ] Pantalla de proyección
- [ ] Atril de orador
- [ ] 'Flipchart' – caballete de conferencias
- [ ] Mando a distancia
- [ ] Puntero láser
- [ ] Rotuladores (negro, azul, rojo y verde)
- [ ] Diapositivas
- [ ] Transparencias

Informática y comunicaciones integradas:
- [ ] Ordenador
- [ ] Impresora
- [ ] Ratón
- [ ] Ordenador portátil y de bolsillo
- [ ] Teléfono móvil
- [ ] Agenda electrónica
- [ ] Fax

Consumibles:
- [ ] Disquetes
- [ ] CD
- [ ] Papel de fax
- [ ] Cintas de audio y de vídeo
- [ ] Casetes

2 Sobre el vídeo:

a) **Señale la respuesta correcta. Justifique sus respuestas.**

		Sí	No	¿?
1.	La llamada telefónica tiene por objeto reservar billetes de avión.	☐	☐	☐
2.	El viaje de ida es a las 7:00 y el regreso a las 18:00 horas.	☐	☐	☐
3.	La reserva es para las vacaciones de tres personas.	☐	☐	☐
4.	La secretaria pide habitaciones individuales.	☐	☐	☐
5.	La reserva del hotel es en régimen de pensión completa.	☐	☐	☐
6.	La letra ñ, en portugués es nh.	☐	☐	☐

b) **Anoten las palabras con los diptongos siguientes.**

AI	IA	UE	IE	EI

3 Después de ver el vídeo:

a) **¿Recuerda...?**

1. El nombre de la agencia de viajes es ....

2. La empresa que hace la reserva se llama ....

3. El tipo de tren es ....

4. El hotel reservado es el .... de ....

5. Los viajeros son de nacionalidad .... , ... y
   ....

Secuencias de

B.Tertulia

1 **Lean los comentarios de los hombres y mujeres de negocios e intercambien opiniones sobre la ropa y objetos imprescindibles para hacer un viaje de negocios.**

EL EQUIPAJE PERFECTO

• "Yo siempre llevo un teléfono móvil de tres bandas para tener cobertura en todas partes, además de un ordenador de bolsillo. Todavía recuerdo como me miraban unos niños en un descampado de Tanzania cuando me puse a gesticular mientras hablaba con mi oficina de Londres."

• " Yo no salgo de viaje sin un frasco de esencia de lavanda para añadir al agua del baño, las fotos de mi familia y un osito de peluche que viaja conmigo desde hace quince años."

• "Es recomendable llevar la tarjeta de crédito de la compañía. Yo pasé a la historia de mi empresa al ahorrar dinero cuando alquilé un helicóptero desde el aeropuerto de Narita, en Tokio, en vez de tomar un taxi. De este modo llegué a una reunión muy importante."

• "Es fundamental tener suficiente material de lectura. Nunca llevo mi ordenador porque me lo iba dejando por todos los aeropuertos. Ahora prefiero utilizar un cibercafé."

• "Depende del destino, pero sea donde sea, nunca olvido mi botiquín de urgencia, con analgésicos y antibióticos."

C. ¡A ESCENA!

1 **Por parejas: preparen y graben la siguiente conversación telefónica.**

Estudiante A:

Usted tiene que hacer un viaje de negocios a Argentina. Llame a su agencia de viajes para reservar el pasaje de avión Madrid-Buenos Aires-Madrid (clase turista / primera o *business* o club) y una habitación (individual / doble) en un hotel céntrico (cuatro / cinco estrellas). También quiere hacer turismo.

Estudiante B:

Usted trabaja en una agencia de viajes. Informe a su cliente sobre los vuelos a Buenos Aires, hoteles y posibilidades turísticas.

VUELOS DIARIOS
Madrid / Barajas - Buenos Aires / Ezeiza

AEROLÍNEAS ARGENTINAS:
Mad. - B. Aires 23:15 .... 07:40 (AR1965)
B. Aires - Mad. 15:00 .... 06:40 (AR1954)
545 euros + tasas (tarifa I/V)

IBERIA:
Mad. - B. Aires 01:10 .... 09:10 (IB6853)
B. Aires - Mad. 16:05 .... 09:00 (IB 6840)
850 euros + tasas (tarifa I/V)

HOTELES:
De Las Américas (★★★★)
Sheraton Libertador (★★★★★)
Emperador (★★★★)

EXTENSIONES:
San Carlos de Bariloche: tres días / dos noches, 394 euros (billetes de avión, hotel, traslados aeropuerto / hotel; excursión Circuito Chico en aerosilla).
Iguazú: dos días / una noche, 177 euros (billete avión, hotel, traslados aeropuerto / hotel; visita de las Cataratas Argentinas).

D.Permanezca a la escucha

1 Escuche la introducción de las Jornadas del ICEX (Instituto de Comercio Exterior) sobre "Cómo rentabilizar la participación en una feria" y completen las notas.

* LAS FERIAS SON UN INSTRUMENTO FUNDAMENTAL DE _____1_____ .
* LOS RESULTADOS DE UNA FERIA DEPENDEN DE LA _____2_____ .
* HAY TRES FASES: ___3___ , ___4___ y ___5___ .
* ESTÁ CLARO QUE EN LA PRIMERA FASE HAY QUE _____6_____ .
* LO MÁS IMPORTANTE DURANTE LA FASE DE DESARROLLO ES RECOGER INFORMACIÓN Y, UNA VEZ TERMINADA, HABRÁ QUE UTILIZAR ESA _____7_____ .
* PARA SELECCIONAR LA FERIA MÁS INTERESANTE SE PUEDEN APLICAR LOS SIGUIENTES CRITERIOS: ___8___ ; ___9___ y ___10___ .
* POR OTRA PARTE, LA DEFINICIÓN DE OBJETIVOS SE ORIENTA A GENERAR ___11___ , LANZAR NUEVOS PRODUCTOS O SERVICIOS, CAPTAR O FIDELIZAR ___12___ , TESTAR LA RESPUESTA DEL MERCADO, INTRODUCIRSE EN EL ___13___ O IMPULSAR UNA ___14___ .

2 Relacione los comentarios de algunos expertos en comercio exterior con la fase respectiva de participación en una feria. A continuación, compruebe sus resultados con los de su compañero.

PREPARATORIA	DESARROLLO	EXPLOTACIÓN DE RESULTADOS

a) Llevamos analizadas más de veinte ferias en el sector del calzado.

b) Enviamos cartas personalizadas de agradecimiento a todos los clientes que han pasado por el *stand*, concertamos citas posferia y enviamos notas de prensa a los medios de comunicación con los resultados obtenidos.

c) Cuidamos mucho la imagen del *stand* (diseño y actitud del personal) y las presentaciones para captar la atención de los visitantes.

d) Solemos enviar un *mailing* con invitación personalizada y utilizamos nuestra página *web* para señalar la ubicación de nuestro *stand*.

e) Más vale organizar la logística -viajes, alojamiento, personal destinado- con suficiente antelación, de tal manera que esos detalles no consuman el tiempo que necesitamos para establecer la estrategia comercial de la empresa.

f) Elegimos un transportista con experiencia en ferias. Es conveniente que dé un servicio integral (aduanas, documentación, embalajes, etiquetas, etc.).

A) Perífrasis de participio

Forma	Uso	Ejemplo
Andar + participio	Expresa una acción durativa.	***Andamos** muy **ocupados** con los preparativos.*
Dejar + participio	Expresa la consecuencia producida por una acción anterior.	*La reunión de cinco horas n**os ha dejado agotados**.*
Llevar + participio	Expresa la cantidad que se ha hecho hasta el momento.	***Llevo evaluados** casi la mitad de los proyectos.*
Quedar + participio	Expresa una acción terminada.	*¿**Ha quedado decidida** la decoración del stand?*
Quedarse + participio	Expresa el resultado de una acción.	*La audiencia **se quedó totalmente** convencida.*
Tener + participio	Expresa terminación, duración, repetición y acumulación.	***Tengo redactado** casi todo el folleto.* ***Teníamos pensadas** varias opciones.* *Le **tengo dicho** que no me pase llamadas cuando estoy reunido.*

1 **Complete las frases con los verbos que están entre paréntesis.**

a) Antes de comenzar la reunión, sería conveniente que ustedes y yo ....
(dejar / aclarar) varios aspectos.

b) Cuando nos dijeron que debíamos encargarnos de la campaña de publicidad,
.... (quedarse / preocupar).

c) Esta mañana apenas .... (llevar / vender) doscientas unidades de
DVD.

d) No nos gustaba nada aquel distribuidor. Yo creo que él .... (andar /
meter) en algún asunto ilegal.

e) A finales de mes .... (tener / recoger) todas las encuestas de opinión.

f) Para que no te olvides de lo que tienes que hacer, lo mejor es que lo ....
(llevar / anotar).

2 **Lea el texto y responda verdadero (V) o falso (F).**

INTERFER
INICIAN PROMOCIÓN
Por Mariana Maza C.

El Comité permanente de Exposiciones Coperex invitó a empresarios extranjeros a participar en la XVI Feria Internacional, a realizarse el octubre próximo.
La coordinadora de Coperex y representantes de la Cámara de Comercio extendieron la invitación a la misión brasileña que llegó a Guatemala hace dos días con fines comerciales.
A la fecha, Coperex ha recibido confirmaciones de asistencia a Interfer de países como Estados Unidos, Alemania, Francia, Honduras, Italia y México, entre otros.

• Ruedas de negocios
Dentro de Interfer se efectuarán ruedas de negocios, con la finalidad de establecer contactos comerciales entre las empresas que los deseen.
Esta actividad se llevará a cabo en horas de la mañana, del miércoles 24 al viernes 27 de octubre. Cada empresa participante tendrá derecho a quince citas de negocios, como máximo.

• Tarifas
Los estands simples en el área internacional de exposición tendrán un costo de US $ 66 el metro cuadrado y de US $ 76, si se requiere decorado.
Coperex arrendará el metro cuadrado en áreas de exposición abiertas por US $ 33.
Los precios anteriores no incluyen luz eléctrica ni servicio telefónico.
Los participantes tendrán la opción de participar solamente en las ruedas de negocios y realizar un paseo en los centros turísticos aledaños a la ciudad por US $ 50.

• Mercancías y aduanas
Todas las mercancías a exponer en Interfer deberán consignarse a nombre del expositor o su representante en el pabellón.
El arribo de las mismas a Guatemala, por vía marítima o terrestre debe ser de 20 días previo a la inauguración y 15 días si es por avión.
Interfer contará con un recinto especial de aduanas, que autorizará las pólizas de la mercadería que se venda durante el evento y dentro de los 60 días posteriores.

(Prensa Libre, Guatemala, 2001)

	V	F
a) La noticia del periódico no deja aclaradas todas las condiciones de participación.	☐	☐
b) Una misión comercial brasileña ha sido invitada a la Feria.	☐	☐
c) Los organizadores tienen confirmada la asistencia de más de veinte países.	☐	☐
d) En los precios por participar quedan incluidos todos los gastos.	☐	☐
e) Las mercancías que se expongan deben llevar consignado el nombre del expositor.	☐	☐

3 **Por parejas: preparen la conversación telefónica para pedir y dar información sobre la Feria de Guatemala.**

Estudiante A:

A usted le interesa saber:

- Países que participan.
- Horario de las reuniones de negocios.
- Número de reuniones posibles.
- Precio de los *stands* y gastos generales.
- Cuota de participación.
- Condiciones aduaneras.

Estudiante B:

Estudie las condiciones de participación y subraye la información relevante para contestar las preguntas de su compañero.

B) Expresar juicios y valoraciones. Oraciones sustantivas

Forma	Uso	Ejemplo
Es evidente que *Está claro que* *Es cierto que* *Es verdad que* *Es seguro que* *Resulta que* *Es indudable que* *No cabe duda de que* *Está visto que*	El verbo principal constata un hecho. Expresa seguridad en lo que se está explicando. **Indicativo** (Frase afirmativa) **Subjuntivo** (Frase negativa: no es, esta...)	*Es evidente que* tenemos que estar. *Resulta que* me llamó un cliente de la competencia. *Menos mal que* no llueve porque no tengo paraguas. *Es indudable que* fue todo un éxito. *No es evidente* que haya una fusión.
Es importante que *Es recomendable que* *Es posible que* *Es probable que* *Es conveniente que* + Subjuntivo *Es lógico que* *Es difícil que* *Es mejor que* *Es una vergüenza que*	El verbo principal constata un juicio de valor.	*Es recomendable que* te vacunes para viajar a África. *Es una vergüenza que* no informen sobre la huelga de pilotos.

1 Su empresa ha decidido participar en una feria. Estudie la carpeta de contratación de servicios y complete los diálogos con el servicio y la expresión del recuadro apropiada.

> está claro que • es indudable que • es probable que
> no cabe duda de que • es recomendable que
> es evidente que

> STAND PREFABRICADO
> MOBILIARIO
> CONTRATACIÓN DE SERVICIOS:
>
> ✓ telecomunicaciones (teléfono y fax)
> ✓ aparcamiento
> ✓ agua y desagüe
> ✓ aire comprimido
> ✓ azafatas/os
> ✓ limpieza del stand
> ✓ seguros adicionales
> ✓ montajes

a) ¿Vosotros creéis que necesitaremos plazas de ....? .... no porque vamos todos en avión.

b) Personalmente, considero importante contratar un .... Desde luego. .... lo hagamos.

c) ¿Cuál os parece mejor? .... el .... de madera es mucho más atractivo y, además, tiene un precio razonable, 41 euros m².

d) Por supuesto, necesitamos .... y fax, ¿no? .... que sí.

e) ¿Necesitaremos alguna .... además de nuestro personal? Bueno, ... necesitemos algunas para cuando hagamos la presentación.

2 Identifique los elementos del mobiliario y decoración que ha contratado y redacte una nota con los cambios que hay que hacer, justificando sus propuestas.

C) Expresar el modo de realizar una acción. Oraciones modales

Forma	Uso	Ejemplo
Como **Conforme** **Cuanto** + **Cual** **De manera que** **Según**	indicativo: Constatan un hecho. Hacen referencia al presente o pasado. subjuntivo: Expresan una acción que no se ha realizado. Hacer referencia al futuro.	Llegó tarde, **como** era su costumbre. Decoraremos el stand **según** lo pidan los expositores.
Sin + infinitivo	Se utiliza cuando la oración tiene el mismo sujeto.	Mi jefe viaja **sin** parar.
Gerundio con valor modal	El ponente comenzó la conferencia **gritando**.	
Participio con valor modal	En el anuncio se veía una niña descalza y con el pelo recién **lavado**.	
Relativo con valor modal	Nos explicaron el modo en **que / como** debemos saludar en Japón.	

Indique el orden lógico de las fases para preparar una presentación oral. A continuación, escuche y relacione cada fase de la presentación con las recomendaciones de cómo hacerla.

a) Preparar recursos audiovisuales.

b) Redactar un borrador con ideas.

c) Organizar el contenido.

d) Planificar.

e) Formular objetivos.

f) Ensayar.

g) Identificar audiencia.

 Por parejas: clasifiquen las transparencias de la presentación de la feria del SIMO de acuerdo con el orden correcto del discurso.

1ª Presentación del ponente:	5ª Información complementaria: . . . . .
2ª Introducción del tema:	6ª Recapitulación: . . . . .
3ª Objetivos de la presentación:	7ª Agradecimientos: . . . . .
4ª Exposición de características:	8ª Turno de intervenciones: . . . . .

I. Por último quiero resaltar la oportunidad que proporciona SIMO de acercar la innovación tecnológica al usuario doméstico en las jornadas de fin de semana.

IV. Muy buenos días, señoras y señores. Tengo el gusto de dirigirme a ustedes como Director general de SIMO, la Feria Internacional de Informática, Multimedia y Comunicación.

VI. Si desean hacer alguna pregunta, estoy a su disposición.

II. Como pueden ustedes ver en estos gráficos, contamos con más de 800 expositores que apuestan por la creatividad y esperamos llegar a los 300 000 visitantes.

Por una parte, conscientes de que el escenario económico exige altos niveles de calidad y eficacia, SIMO se centra en dos aspectos fundamentales:

• *Asociar tecnología y negocio.*

• *Presentar la oferta de tal modo que fomente el desarrollo de la sociedad de la información.*

Por otra parte, haciéndonos eco del potencial de las tecnologías móviles, se celebra el I Congreso Internacional de Tecnología Móvil e Inalámbrica, e-Mobility 2002, que reunirá expertos en el sector y proveedores de estas tecnologías.

V. Comenzaré afirmando que, desde hace cuatro décadas, cada edición de SIMO es diferente, conforme a las exigencias de adaptación a la realidad de las tecnologías de la información, en constante cambio. En esta ocasión, las tecnologías móviles e inalámbricas tienen el papel protagonista.

VII. El objetivo de mi intervención es exponerles brevemente la panorámica que ofrece esta edición e invitarles cordialmente a sacar partido y rentabilizar su participación.

VIII. Se trata, en definitiva, de confirmar como les he dicho al comienzo, que ningún SIMO es igual al anterior y proporcionar un foro para que los profesionales conozcan en directo las novedades del sector.

III. Reciban todos ustedes mi más cordial bienvenida en esta nueva edición y les animo a abordar los retos tecnológicos inmediatos.

3 En grupo: ensayen la presentación oral delante de sus compañeros, con la entonación y lenguaje corporal adecuados a la situación de comunicación. El resto del grupo toma notas para valorar la presentación.

ASPECTOS	Calificación: 1-10
• **Planificación cuidadosa:**	....
• **Claridad de objetivos**:	....
• **Exposición:** ritmo, entonación, voz, seguridad en sí mismo, contacto visual, lenguaje corporal:	....
• **Lengua:** claridad, fluidez, pronunciación:	....

D) Expresar concesión, contraste y oposición

Las oraciones concesivas expresan concesión, contraste y oposición.

Forma	Uso	Ejemplo
Aunque *A pesar de que* *Así* *Aun cuando* *Bien que* *Por más que* *Por mucho que* *Si bien* *Y eso que* +	**Indicativo:** Expresa una dificultad real para realizar una acción. **Subjuntivo:** Expresa un obstáculo que puede ser real o no.	*A **pesar de que** odio el avión, vuelo más de veinte veces al año.* ***Aunque** falten todavía más de dos horas para tomar el avión, llama ya a un taxi.*

Conjunción o locución concesiva		
Correlación temporal + indicativo:		
+ **Presente + presente/futuro** + **Imperfecto + imperfecto/indefinido** + **Futuro + futuro** + **Condicional + presente/futuro/condicional**	***Aun** cuando me apetece ir, no lo haré.* ***Aunque** tenía que terminar el informe, me fui a dormir.* *A **pesar de que** intentaré no ponerme nervioso, no lo conseguiré.* ***Si bien** ganaría más en otra empresa, prefiero trabajar aquí.*	
Correlación temporal + subjuntivo:		
Presente + futuro de indicativo **Imperfecto + condicional de indicativo** **Presente + imperativo/subjuntivo** **Repetición del verbo en subjuntivo**	***Aunque** insistas, no aceptaré el precio que propones.* ***Aunque** vinieran fuera del horario comercial, les recibiríamos encantados.* *Por **mucho que** insistan, no me pase más llamadas.* ***Digan lo que digan**, no contestes.* ***Vengas o no vengas**, haremos la presentación.*	

1 Su empresa va a participar en la feria de Guatemala. Escuche para completar la ficha del viaje y compare sus datos con los de sus compañeros.

Nombre y apellido: ....

Nombre y apellido: ....

Transporte	Fecha	Origen	Vuelo	Hora de salida	Hora de llegada	Clase	Nº Pax	Cía.	Situación
	....	....	....	....	....	....	....	....	....
	Fecha	Origen	Vuelo	Hora de salida	Hora de llegada	Clase	Nº Pax	Cía.	Situación
	....	....	....	....	....	....	....	....	....

Hotel	Fecha	Población	Servicios Hab. Clase		Noches	Situación
	....	....	....		....	....
Alquiler de coche	Compañía	Tipo	Recogida día	Población	Entrega día	Situación
	....	....	....	....	....	....

Le han invitado a un almuerzo de negocios: escuche y señale en la carta los platos y bebidas que piden los comensales. A continuación, complete el diálogo entre el camarero y los clientes.

RESTAURANTE ALTA MAR

Entrantes
Jamón ibérico
Cóctel de marisco
Ensalada mixta
Langostinos a la plancha
Sepia a la plancha
Almejas en salsa

Arroces
Paella mixta
Arroz negro
Arroz con marisco
Arroz a banda
Fideuá (paella de fideos y marisco)

Pescados
Bacalao a la bilbaína
Bacalao al ajoarriero
Truchas escabechadas
Brocheta de rape y langostinos
Emperador a la plancha

Carnes
Cordero lechal al horno
Solomillo a la sevillana
Callos a la madrileña
Codornices estofadas
Entrecot a la plancha

Postres
Sorbete de cava
Helados variados
Frambuesas con nata
Arroz con leche
Tarta de queso con arándanos
Macedonia de frutas

Vinos
Vino de la casa
Rioja Crianza
Ribera del Duero

Cavas
Cava Semi-seco
Cava Brut reserva

Camarero: Buenas tardes. ¿Qué van a tomar los señores?

Mario: ¿Qué nos recomienda usted?

Camarero: Nuestra especialidad es el ....[1]...... y el ....[2]........, especialmente el bacalao.

Ana: ¿.........[3].......?

Camarero: El cordero está muy rico,........[4]...... que no es la temporada.

Mario: Yo tomaré ....[5]....... y cordero al horno. ¿Y tú?

Ana: Pues yo, un ....[6].......... y ....[7]........., aunque no quiero engordar.

Camarero: Muy buena elección. ¿Y ....[8].......?

Mario: ¿Tinto o blanco?

Ana: Yo creo que una botellita de Ribera del Duero.

Mario: Pues eso. Y por más que no queramos engordar, traiga un plato ....[9]........ para empezar.

Camarero: Muy bien, señores.

SE RUEDA

Ustedes trabajan en una empresa del sector de servicios turísticos y tienen que planificar su participación en FITUR, Feria Internacional de Turismo.

a) Preparación de la participación en la feria

1

Información: estudie la información sobre la feria y complete la ficha con los datos técnicos. A continuación, contraste los datos con su compañero.

- Nivel de la feria: . . . .
- Carácter (internacional, nacional, regional): . . . .
- Sectores representados: . . . .
- Organizador: . . . .
- Empresas expositoras y número de visitantes: . . . .
- Lugar y fecha de celebración: . . . .

FITUR   EDICIÓN XXIII   29 de enero - 2 de febrero de 2003

La industria turística es uno de los sectores en permanente evolución que requiere herramientas cada vez más sofisticadas.

FITUR, el segundo certamen turístico más importante del mundo y el primero del área iberoamericana, se celebra anualmente y es un punto de referencia fundamental para los profesionales del turismo de todo el mundo.

Según las cifras de la pasada edición, la superficie de exposición fue de 73 986 m², con un total de 9 542 empresas expositoras, 94 808 participantes profesionales de 170 países y 106 000 de público no profesional.

A lo largo de sus 22 años de existencia, FITUR ha creado varias secciones que cubren distintas áreas de especialidad: mayoristas / minoristas, hostelería, empresas de transporte, organismos oficiales, empresas de servicios turísticos. Otras secciones especializadas son las dedicadas al Turismo activo (aventura y naturaleza), *Know-How* (consultoría de conocimiento turístico), Congresos y Viajes de incentivo y, desde 2003, Turismo Residencial, dedicada a los agentes que presentan su oferta de alojamiento y ocio vinculada al turismo de tipo residencial.

Horario: 29-31 de enero, sólo profesionales: 10:00-19:00
1-2 de febrero, abierto al público: 10:00-20:00

Organiza: FERIA de MADRID. www.fitur.ifema.es

2

Todo el grupo: formulen sus propuestas para seleccionar el tipo de empresa turística con la que desean participar en FITUR (oficina de turismo de su país, cadena de hoteles, turoperadores, grupo de restauración). Formen los grupos de trabajo.

3

Grupos de trabajo: comenten y redacten un breve informe resumiendo sus objetivos para participar en la feria.

- Generar ventas.
- Lanzar productos turísticos.
- Testar la respuesta del mercado ante nuevos destinos que ofrece su país / servicios hoteleros o de restauración.
- Contactar nuevos clientes o fidelizar la cartera de clientes.
- Estudiar la competencia.
- Introducirse en el mercado.
- Impulsar la imagen de un país / corporativa.

b) Organización de la participación en la feria

1 Contratación de servicios.

a) **Escuchen y tomen nota de las condiciones de contratación de servicios.**

- Modo de solicitud para expositores: . . . .
- Envío de formularios: . . . .
- Fecha límite: . . . .
- Forma de pago: . . . .
- Anulación de servicios: . . . .
- Contratación de servicios fuera de plazo: . . . .

b) **Grupo de trabajo: comenten y redacten un breve informe sobre las decisiones que tomen en relación con el *stand*: mobiliario, colores, tipo de decoración, material promocional, aspectos que desean destacar para atraer a los visitantes y posibles acciones promocionales (distribución de muestras, degustación de productos típicos, presentaciones de productos, servicios, destinos, etc.).**

2 Preparación del viaje.

a) **Escuche las informaciones prácticas y complete la ficha.**

- Documentación: . . . .
- Asistencia sanitaria: . . . .
- Clima: . . . .
- Huso horario: . . . .
- Electricidad: . . . .

b) **Redacte una nota con el equipaje apropiado y compruebe su lista con la de su compañero.**

- Documentos:
  ....
- Útiles de aseo y botiquín:
  ....
- Ropa y calzado:
  ....
- Artículos complementarios y sentimentales:
  ....

c) Desarrollo de la feria

1 Todo el grupo: diseñen su propia tarjeta de visita, con sus datos personales y profesionales en el mundo del turismo e inicien conversaciones con los demás participantes en la feria, solicitando información sobre sus empresas, actividades y productos, anotando los datos de estos contactos profesionales.

EMPRESA

Nombre y apellidos
Cargo

Dirección

Población

Teléfonos/fax

Correo electrónico

2 Comidas de negocios. En el transcurso de la feria, van a invitar a algunos de los expositores o clientes.

En grupos de trabajo: organicen la invitación de acuerdo con los siguientes puntos:

Asiático
Restaurante

億

López de Hoyos, 315
Cocina: China-Thailandesa-Japonesa
No se admiten reservas

- Elección del restaurante más apropiado y espectáculo típico.
- Hora y lugar de la cita.
- Elección de la indumentaria apropiada.
- Aspectos de protocolo y costumbres.
- Temas de conversación: cultura, arte, deportes, celebraciones especiales, gastronomía, su país, la ciudad y sus monumentos, etc.

Restaurante
Los Condes
desde 1894

Esmerada cocina española
Terraza de verano
Salones privados

C/ Colón, 5 (Plaza Real)
Tel.: 93 466 30 28
www.loscondes.net
loscondes@loscondes.net

Restaurante

Perla del Pacífico

Cocina de mercado
- Avestruz
- Canguro
- Carpaccios
Menús especiales para
empresas y despedidas

Tel. 91.: 530 47 80 - Fax: 91 439 19 63

RESTAURANTE VEGETARIANO
EL JARDÍN DE LAS DELICIAS
Ventura, 4
(Frente a las Cortes)
Tel.: 91 317 28 21
28002 Madrid
www.eljardindelasdelicias.com

Cruces, 5
Pza. del Carmen)
Tel.: 91 555 67 21
28001 Madrid
E-mail: eljardindelasdelicias@red.com

y algo más

3 Presentación: los grupos de trabajo preparan y presentan un producto o servicio turístico de su país, utilizando recursos audiovisuales y material promocional.

4 Grupo completo: comenten cómo les ha ido en esta Feria.

ARCHIVO DE PALABRAS

1 Estudie el plano del Parque Ferial Juan Carlos I de Madrid y localice las instalaciones relacionadas con:

- Comunicaciones:

  ....
  ....
  ....

- Medios de transporte público:

  ....
  ....
  ....

- Posibilidades de aparcamiento para distintos tipos de vehículos:

  ....
  ....
  ....

- Servicios de restauración:

  ....
  ....
  ....

- Servicios de la organización de la feria:

  ....
  ....
  ....

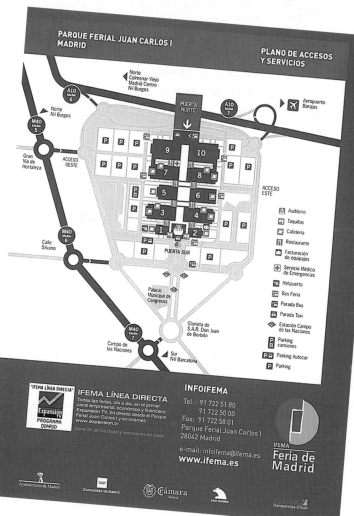

2 En el aeropuerto: clasifique los términos de acuerdo con los siguientes conceptos.

Terminal	Equipaje	Documentos	Vuelo	Avión

★MOSTRADOR DE FACTURACIÓN   ★VENTANILLA   ★ASIENTO   ★AZAFATA   ★VUELO   ★ADUANA   ★BOLSO DE MANO

★PASAPORTE   ★CONTROL DE PASAPORTES   ★DESTINO   ★ETIQUETA   ★TIENDA LIBRE DE IMPUESTOS   ★PASAJE

★PASILLO   ★MALETAS   ★PUERTA DE EMBARQUE   ★BILLETE   ★HORA LÍMITE DE PRESENTACIÓN

★TARJETA DE EMBARQUE   ★CINTURÓN DE SEGURIDAD

Multimedia

Archivo	Edición	Ver	Favoritos	Herramientas	Ayuda

⬅ Atrás	➡ Adelante	✖ Detener	🔄 Actualizar	🏠 Inicio	🔍 Búsqueda	★ Favoritos	✉ Correo	🖨 Imprimir

Dirección http://www.home.es.netscape.com/es/ ▾ ↗ Ir a

Situación: Visita de instituciones feriales de España e Hispanoamérica para seleccionar las ferias sectoriales de su interés.

¿Sabía que...? Las ferias comerciales son instrumentos fundamentales de promoción. Por tanto, es necesario obtener información muy precisa y preparar la participación con una metodología apropiada de manera que se obtenga el mejor resultado posible. Para conocer las instituciones feriales principales de España, teclee www.ifema.es, www.firabcn.es, que corresponden a las ferias que se celebran en Madrid y en Barcelona, respectivamente. En sus páginas encontrará información sobre los sectores, el calendario, instalaciones, contactos, etc.

Tarea: Seleccionar ferias sectoriales de su interés.

Teclee:
- www.viajes.buscaportal.com. Para organizar el viaje de empresa, es conveniente consultar mucha información sobre España e Iberoamérica, así como ofertas de viajes en Europa y los Estados Unidos, www.travelprice.com, www.iberia.com y las páginas que ofrecen información turística: www.tourspain.es, www.ciudadhoy.com, www.madrid.lanetro.com.

- www.mexicocity.com.mx y www.mexico-travel.com. Para obtener información sobre México y, Argentina, www.argentinamenu.com y www.buenosaires.gov.ar. Para Guatemala, www.mayaspirit.com.gt.

Internet

MESA REDONDA
Comidas de negocios

Lean el siguiente texto y comenten las orientaciones sobre el protocolo y las buenas maneras en una comida de negocios en España y en sus países.

En España muchos negocios se realizan durante una comida. Estas comidas de negocios pueden ser de dos tipos: de apertura, para iniciar un proyecto, y de cierre, para celebrar un acuerdo o un negocio.

Aunque no existen normas estrictas en este tipo de reuniones, a continuación damos algunas orientaciones:

Lugar: restaurante de tipo medio o medio alto, silencioso, con mesas separadas.

Menú: picoteo compartido por los comensales seguido de un plato principal. Se suele sustituir el postre por una copa de licor digestivo y café.

Hora: entre las 14:30 y las 15:00. Quien convoca llega unos minutos antes por cortesía.

Tratamiento: se prefiere el tuteo. El usted crea distanciamiento y frialdad.

Pago: quien convoca paga, normalmente con tarjeta de crédito y también debe señalar la finalización de la reunión.

Saludos a otros comensales: no está bien visto levantarse a saludar a otros comensales. Es mejor, saludar al final de la comida.

Documentos: se muestran o intercambian al principio o al final de la comida. Sacarlos en medio de la comida es una grosería.

Teléfono móvil: es preferible no contestar las llamadas y es obligado poner el silenciador.

Temas de conversación: generales y culturales; no se debe hablar de política, ni de temas personales.

(Extracto de EPS)

Primer Plano 4

Transcripciones

Vídeo

EPISODIO 1
Primeras impresiones

♦ Buenos días. Soy Klaus Wolf.

• Bienvenido, señor Wolf. Me llamo Augusto Sousa.

♦ Mucho gusto.

• ¿Qué tal el viaje?

♦ Bien, muy cómodo. Muy bien.

• Me alegro. ¿Le gusta el hotel?

♦ Sí, está en una zona muy céntrica, pero me gustaría alquilar un apartamento por esta zona.

• Bueno... Ésta es una zona de oficinas, pero también se alquilan muchos apartamentos. Por cierto, ¿ha estado antes en Madrid?

♦ En realidad no. Estuve aquí hace dos años, en una Feria de Informática y Multimedia... Pero, no salí del Parque Ferial.

• Entonces, acérquese conmigo a esta ventana y le mostraré prácticamente todo Madrid. Es una de las ventajas de tener el despacho en la planta dieciocho. Como ve, estamos en la parte más moderna de Madrid, en el paseo de la Castellana. Ahí, a su izquierda, están el Ministerio de Economía, el de Industria y la Oficina de Patentes y Marcas. A su derecha... esos edificios altos son las sedes de algunas de las grandes empresas y corporaciones bancarias. También está el Palacio de Congresos... y, enfrente de nuestras oficinas, está el estadio del Real Madrid.

♦ ¡Magnífico! Y, ¿dónde está el Banco de España?

• Bueno, el Banco de España está mucho más allá. ¿Sabe dónde está la fuente de la Cibeles?

♦ Sí, he pasado por allí, en taxi.

• Pues el edificio que está en la esquina de la calle Alcalá es el Banco de España. Es del siglo XIX, tiene un estilo ecléctico... Una mezcla de todo, neoclásico, barroco y rococó.

♦ ¿Y la Bolsa de Valores?

• Está muy cerca del Museo del Prado. La Bolsa de Madrid es la más antigua de las Bolsas de España. Todavía se negocian los valores en el salón de contratación y, también, en el mercado continuo asistido por ordenador. ¿Qué le parece?

♦ Muy interesante.

• Entonces, si me acompaña a su Departamento, le presentaré a las personas que van a trabajar con usted.

♦ Muy bien. Cuando guste.

EPISODIO 2
Primer día en la empresa

♦ Le presento a la señorita Marta, su secretaria. Habla perfectamente alemán e inglés, y se defiende muy bien en italiano y portugués.

• Encantada.

♦ Mucho gusto.

• Bueno y ahora, si le parece bien, volvemos a mi despacho y le daré una carpeta con la información que necesita sobre el resto de los departamentos y le presentaré al resto de los directores.

♦ Perfecto.

• A nuestro Director General ya le ha conocido en Francfort. Al frente del Departamento de Finanzas está Marcos Pereda. El Director de Producción es Juan Gómez, de quien dependen las secciones de Compras, Fábrica y Almacén, así como I+D, quiero decir Investigación y Desarrollo, que dirige Teresa da Silva. El Director de Ventas es Luigi Ponti, de quien dependen *Marketing* y Publicidad. La responsable de *Marketing* es Sofía Ochoa, que colaborará estrechamente con usted en aspectos de *Marketing* Internacional. Eso es todo, además de mi Departamento, claro. En Recursos Humanos llevamos todo lo relacionado con el personal: selección, contratación y formación. En la reunión de esta tarde le presentaré a todos. Y ahora ya puede empezar a trabajar.

♦ Muchas gracias.

EPISODIO 3
En el banco

♦ Buenos días.

• Buenos días. ¿Qué desea?

♦ Voy a trabajar una temporada en España y quisiera saber qué tengo que hacer para abrir una cuenta bancaria.

• ¿Qué tipo de cuenta le interesaría?

♦ Una cuenta para domiciliar los ingresos y los pagos que tenga que hacer, y con talonario de cheques.

• Entonces, es una cuenta corriente.

♦ Eso es.

• Necesitamos un documento de residencia y su pasaporte. Después, tiene que rellenar la solicitud de apertura con sus datos personales y, naturalmente, hacer un ingreso inicial.

♦ Muy bien. ¿Qué tipo de interés dan?

• En cuenta corriente es muy bajo, un 0,25 anual. Luego, hay otro tipo de cuentas más rentables que, quizás, puedan interesarle: de ahorro o a plazo.

♦ ¡Muy bien! Muchas gracias. De momento, voy a abrir una cuenta corriente.

• ¿Individual?

♦ Sí. A mi nombre.

• ¿En efectivo?

♦ No. Es un cheque.

• ¿Me acompaña a la ventanilla, por favor?

EPISODIO 4
Productos y servicios

♦ Buenas tardes.

• Hola. Quisiera alquilar un coche.

♦ ¿Qué tipo de coche?

• ¿Cómo?

♦ ¿Grande o pequeño?

• Depende... ¿Qué marcas tienen?

♦ Un momento, le voy a enseñar nuestro folleto. Todos estos modelos son de 4 ó 5 plazas y, luego, tiene el grupo de modelos Ejecutivo.

• Ya. Vamos a ver. Estas son las tarifas, ¿no?

♦ Sí. Depende de los días.

• Lo quiero para este fin de semana.

♦ Precisamente, hay una tarifa de fin de semana sin límite de kilometraje. Es decir, de dos a cinco días, debiendo incluir un sábado y un domingo.

• Estupendo. Entonces, un OPEL Astra, con dirección asistida, radio y aire acondicionado.

♦ ¿Cuántos días?

• Tres. Desde hoy, viernes, hasta el domingo.

♦ ¿Cómo lo va a pagar, en efectivo o con tarjeta de crédito?

• Con tarjeta de crédito.

♦ ¿Lo va a entregar en nuestras oficinas?

• Sí. Esto... ¿El seguro está incluido?

♦ Solamente el seguro obligatorio del viajero y el complementario de responsabilidad civil.

• ¿Y la gasolina?

♦ El coche se entrega con el depósito lleno de gasolina y cuando lo devuelva le cobramos la gasolina consumida.

• De acuerdo.

♦ ¿Me permite su pasaporte y el carné de conducir? Firme aquí abajo, por favor. Bueno, aquí tiene la documentación y las llaves. Mi compañero le entrega el coche. ¡Feliz fin de semana!

• Muchas gracias.

EPISODIO 5
Reuniones de negocios

♦ IBÉRICA INTERNACIONAL dígame.

• Buenos días. ¿Me pone con el señor Wolf?

♦ ¿De parte de quién?

• De Silvia Casale.

♦ Un momento, por favor. Le pongo.

• ¿Sí?

♦ ¿Klaus Wolf?

• Al habla.

♦ Soy Silvia Casale, de PRESTO.

• Hola, ¿Qué tal está?

♦ Muy bien, gracias. Le llamo porque su oferta es muy interesante y me gustaría discutir algunos detalles personalmente.

• ¿Qué día le vendría bien?

♦ Yo voy a estar en Madrid del 2 al 14 de mayo...

• Vamos a ver... ¿Podría ser el día 12 por la mañana?

♦ Por la mañana no puedo, pero tengo la tarde libre.

• De acuerdo. ¿Le parece bien a las 4:00?

♦ Perfecto... A las 16:00.

• ¿Tiene nuestra dirección?

♦ Sí, sí. No se preocupe. Hasta el día 12 entonces.

♦ ¿Sería tan amable de ponerme con el señor Wolf?

• Lo siento. Está en una reunión.

♦ ¿Podría dejarle un mensaje?

• Por supuesto. Dígame.

♦ Dígale que ha llamado Silvia Casale, de PRESTO, en Lisboa.

• Perdone. ¿Podría repetirme el apellido?

♦ C-A-S-A-L-E, Casale.

- Muchas gracias, señorita Casale.
- ♦ A usted.

- ♦ ¿Diga?
- ¿Silvia Casale? Soy Klaus Wolf. Ah... Me has llamado esta mañana, ¿no? ¿Algún problema?
- ♦ Sí. Era para posponer nuestra entrevista del viernes. Lo lamento, pero tengo que salir de viaje. ¿Podríamos vernos la semana próxima?
- Ah... Voy a consultar mi agenda. ¿Oye? Ah... Tendría que ser el jueves.
- ♦ ¿Podría ser después de las 11:00?
- Por supuesto.
- Entonces, te espero el jueves 23, a las 11:00. Luego, podemos ir a comer juntos.
- De acuerdo. Un saludo.

EPISODIO 6
Viaje de negocios

- ♦ Viajes AZIMUT, buenas tardes.
- Hola, buenas tardes. Soy Marta, de IBÉRICA INTERNACIONAL.
- ♦ ¿Qué tal, Marta?
- Bien, pero con mucho trabajo. Oye, tengo que hacer unas reservas.
- ♦ Venga, dime.
- Necesito tres plazas Madrid-Sevilla, en el AVE, para el lunes 20. ¿A qué hora sale el primero?
- ♦ Hay uno a las siete, y otro a las siete y media.
- Entonces, en el de las siete, en clase preferente.
- ♦ ¿Y el regreso?
- El martes a las seis de la tarde.
- ♦ Espera un momento... Ya está, confirmadas las tres plazas. ¿Vas a querer reservas de hotel también?
- Sí, por favor. Tres individuales en el Hotel Colón.
- ♦ Tres individuales... Entrada el 20 y salida el 21... Alojamiento y desayuno, ¿no?
- Eso es.
- ♦ ¿Me dices los nombres?
- Sí. Klaus Wolf, Luigi Ponti y Manuel Rainha.
- ♦ ¿Con Ñ?
- No, con NH. Te deletreo: R-A-I-N-H-A.
- ♦ Conforme. Gracias.
- A ti. Hasta luego.

EPISODIO 0
El mundo de los negocios

MIENTRAS ESCUCHA LA CONFERENCIA

b) Escuche la conferencia y complete los datos del texto.

La construcción europea: De la CECA a la Unión Europea.

La idea de Europa es antigua. Sin embargo la unión más estrecha entre los pueblos de Europa surgió después de la Segunda Guerra Mundial con el objetivo de garantizar la paz y la prosperidad a un continente cuyos cimientos se habían desmoronado.

El 9 de mayo de 1950 Francia y la República Federal de Alemania, crearon el mercado común sectorial de la siderurgia, de acuerdo con el plan de Robert Schuman.

El 18 de abril de 1951, Francia, la República Federal de Alemania, Bélgica, Holanda, Luxemburgo e Italia firmaron la ampliación de la Comunidad Europea del Carbón y del Acero (CECA), con el tratado de París.

El 25 de marzo de 1957 se firma el Tratado de Roma, constitutivo de la Comunidad Económica Europea (CEE), por parte de Francia, la República Federal de Alemania, Bélgica, Holanda, Luxemburgo e Italia.

El 1 de enero de 1973 se produce la primera ampliación de la CEE, con la adhesión del Reino Unido, Irlanda y Dinamarca.

En 1981 se crea la Europa de los Diez, con la adhesión de Grecia y, en enero de 1986, la Europa de los Doce, tras la incorporación de España Portugal.

En 1990 se integran los *Länder* de la antigua República Democrática Alemana y comienza la primera etapa de la Unión Económica y Monetaria.

La cuarta ampliación, es decir, la Europa de los Quince, se produce en 1995, con la adhesión de Austria, Suecia y Finlandia.

El proceso de ampliación está todavía abierto. El 1 de mayo de 2004, con la adhesión de la República Checa, Polonia, Hungría, Eslovaquia, Eslovenia, Malta, Chipre, Estonia, Letonia y Lituania, se conformará la Europa de los 25.

Por lo que respecta a la Unión Monetaria, en diciembre de 1995 se adoptó el euro como moneda europea y, a partir de enero de 2002 el euro comenzó a circular como moneda de curso legal y única en 12 países de la Unión Europea (Alemania, Austria, Bélgica, España, Finlandia, Francia, Grecia, Holanda, Irlanda, Italia, Luxemburgo y Portugal).

EPISODIO 1
Primeras impresiones

SECUENCIAS DE LA VIDA REAL

D. Permanezca a la escucha.

1. Escuche los resúmenes de los candidatos y complete las fichas correspondientes (p. 23).

a) Lidia Durán Pisa es actualmente Directora de Comunicación de Logística Plus, empresa multinacional de Consultoría con sede en Valencia. Desde 1986 hasta 1991 cursó la carrera de Ciencias Empresariales en la Universidad Siglo XXI de Córdoba (Argentina). En 1994 obtuvo una beca del Instituto de Comercio Exterior para especializarse en Comercio Exterior en Madrid y realizó, en 1995, un curso de experto en Protocolo e Imagen Corporativa. Entre 1996 y 1997 estudió el curso de postgrado de Máster en *Marketing* y Comunicación en el sector Servicios Turísticos, en la Universidad Complutense de Madrid. Durante seis meses, de enero a junio de 1998, hizo prácticas en los departamentos de Relaciones Públicas y *Marketing* del Banco Rioplatense de Buenos Aires. En julio de 1998 se incorporó como adjunta a la Dirección de la Agencia de Publicidad bonaerense BAP y, posteriormente, asumió la Dirección de Comunicación Corporativa hasta el mes de enero de 2002. Habla inglés y alemán y, entre sus aficiones, destacan la música clásica, el ajedrez y la práctica del paracaidismo y la hípica.

b) Ignacio Campomanes Rivero es natural de Madrid. Licenciado en Publicidad y Relaciones Públicas y MBA por el Instituto de Empresa. Ha sido nombrado recientemente Director de *Marketing* de Seguros MAX. Anteriormente, ocupaba el cargo de Director de Media Touring. Posee una sólida formación, combinada con un buen conocimiento del sector turístico. Habla español, inglés, portugués y neerlandés con fluidez.

Sus aficiones favoritas son: la natación, el tenis y coleccionar sellos y monedas.

c) Paul Rhys-Morgan, nacido en Cardiff hace 46 años. Es Licenciado en Geografía por la Universidad de Gales y Máster en gestión de Empresas Turísticas. Ha desempeñado diversos cargos directivos en las cadenas de hoteles Sheraton y Holiday Inn, en Europa, África y Asia. En 1998 fue nombrado Director Comercial del Hotel Princesa Sofía de Barcelona. En enero de 2000 se incorporó como Director de *Marketing* de los Hoteles West Palace. Habla galés, inglés, español y francés. Entre sus aficiones hay que mencionar el *jazz*, la lectura, el *rugby* y la práctica del golf.

ENCUADRE GRAMATICAL

C.2. Usted quiere hacer un curso para trabajar en el BID. Escuche los anuncios de los siguientes cursos y complételos (p. 28).

a) INTITUTO DE DIRECTIVOS DE EMPRESA PRESENCIAL / INTERNET
* ✱ Programas Máster.
  - Asistencia / Distancia.
  - 600 horas lectivas.
  - MBA Internacional.
  - Máster en Medio Ambiente.
  - Máster en Práctica Jurídica.
* ✱ Programa para el desarrollo de actitudes y habilidades personales y directivas.
  - Viernes de 5 a 8 y sábados de 10 a 2.

b) INSTITUTO DE LENGUAS PARA PROFESIONALES
* ✱ Inglés - Español - Alemán - Italiano - Portugués.
  - Horario flexible + empresas.
  - Todos los niveles.
  - Profesorado nativo.

c) FUNDACIÓN PARA EL DESARROLLO
* ✱ Curso de Dirección de Proyectos.
  - 400 horas Presencial / Distancia.
  - Octubre-Mayo.

d) INTERNET TRAINING CENTER

✱ La Escuela de Negocios de las Nuevas Tecnologías.
- Máster en Aplicaciones Internet con Java, Oracle, XML.
- Información: 9:00-18:30.
- Teléfono: 913 35 47 20.

D.2. Escuche los extractos de las entrevistas a dos candidatos y anote los siguientes datos y valoraciones (p. 29).

1. ♦ Buenos días, señor Cruz. Siéntese, por favor.

• Buenos días.

♦ ¿Podría resumir brevemente su currículum, por favor?

• Desde luego. Como puede comprobar en la documentación que les anexé, me licencié en Derecho en la Universidad Autónoma de México y posteriormente cursé un Máster en Dirección de Empresas en la misma universidad.

♦ ¿Qué idiomas habla usted?

• Hablo inglés y francés con fluidez, así como alemán, nivel intermedio.

♦ En cuanto a su experiencia profesional...

• En 1966 comencé como adjunto en el Departamento Jurídico de Yucatán Consulting. Mi responsabilidad fundamental era la redacción y revisión de los contratos internacionales.
En la actualidad, trabajo en el sector bancario. Soy Director de Desarrollo para el área de Veracruz.

♦ ¿Por qué eligió nuestra empresa?

• Bueno... En primer lugar, está su proyecto. Lo consulté en su *web* y es muy lindo, muy interesante. En segundo lugar, me gustaría trabajar en España. Acá tengo amigos y me gusta su cultura y su forma de vivir. Por otra parte, creo que soy un profesional que puede aportar ideas y saber hacer en su empresa.

2. ♦ ¿Señora Landmann? Soy Pedro Kendall.

• Buenas tardes. Encantada.

♦ De acuerdo con su currículum, usted es alemana.

• Nací en Bremen y mi padre es alemán, pero yo crecí y me eduqué en España. Ahora, soy española.

♦ Por lo tanto, habla alemán.

• Sí. Hablo alemán e inglés con fluidez y me defiendo en francés.

♦ Licenciada en Ciencias Empresariales y Diplomada en Comercio Exterior... ¿Alguna otra titulación?

• Bueno, hice el curso de Protocolo Empresarial en el Instituto de Empresa de Madrid.

♦ Parece que tiene bastante experiencia en el sector inmobiliario.

• Mi familia ha estado dedicada siempre al negocio inmobiliario y yo empecé colaborando en la empresa de mi padre, en Tenerife. Posteriormente, trabajé en el Departamento de Ventas de BANSA, en Marbella y en la actualidad soy Consultora de Formación en la Inmobiliaria KC.

♦ ¿Por qué le interesa este puesto?

• Es un puesto que supone un reto para poder desarrollar todo mi potencial. Por otra parte, creo que mi formación y perfil profesional es bastante apropiado.

SE RUEDA

C.1. b) Escuche la conversación telefónica para solicitar una entrevista de trabajo y compruebe (p. 33).

♦ Nautilus, dígame.

• Buenos días. Le llamo por el anuncio del periódico para un puesto de secretaria.

♦ ¿Me dice la referencia, por favor?

• Sí, perdone. Es SD/23.

♦ ¿Puede venir el próximo miércoles, a las doce?

• El próximo miércoles es día veinte... ¿A las doce? De acuerdo. ¿La entrevista es en Madrid?

♦ Nuestras oficinas están en la Plaza de Cataluña, número 8, Edificio Nautilus.

• ¿Por quién pregunto?

♦ Pregunte por el señor Marín.

• Adiós, muchas gracias.

♦ Adiós. Buenos días.

EPISODIO 2
Primer día en la empresa

SECUENCIAS DE LA VIDA REAL

D. Permanezca a la escucha.

1. b) Escuchen la exposición sobre la creación de empresas en el transcurso de un Seminario de la Cámara de Comercio y completen su diagrama (p. 41).

En la sesión de hoy les vamos a exponer las opciones que existen y los pasos que hay que dar para abrir su propio negocio.

Mi opinión es que no sólo hay que tener una idea sino que, además, tiene que ser una buena idea y hay que saber cómo desarrollarla.

Para asesorarse pueden preguntar a amigos y familiares pero no es la mejor vía. Es preferible que acudan a las organizaciones empresariales, que tienen experiencia en los negocios.

Antes de gastar un euro en su proyecto, es conveniente redactar un plan de empresa, esto es, una descripción detallada sobre su actividad y posibilidades en el mercado, así como los aspectos relativos a la comercialización, número y cualificación de empleados y, sobre todo, la financiación.

Otro aspecto importante, a mi juicio, es el modelo de negocio. Es decir, si van a constituir una empresa individual, empresario autónomo, o una sociedad mercantil, junto a otros socios.

Si deciden constituir una empresa mercantil, pueden elegir la modalidad de Sociedad Limitada (S.L.) o Sociedad Anónima (S.A.). También pueden optar por una Sociedad Anónima Laboral, una Cooperativa o una Franquicia.

Después, deberán elegir un nombre y diseñar el logotipo o letrero de identificación y acudir al Registro Mercantil Central para cumplimentar los trámites de constitución de la sociedad y hacer todo el papeleo.

Finalmente, viene el proceso de selección de personal y obtención de los recursos económicos y materiales para empezar a trabajar.

Ahora vamos a hacer una pausa para tomar café y, después, les expondré varios ejemplos de empresas. A continuación, abriremos un turno de palabra para que planteen sus dudas.

ENCUADRE GRAMATICAL

C.2. a) Escuchen y completen las ofertas de oficinas y locales comerciales (p. 45).

a) Magnífico local comercial céntrico. Doscientos cincuenta metros cuadrados en planta baja. Ocho metros de fachada y cuatro salidas de humo. Perfecto para hostelería. Venta o alquiler. Directamente propietario. Teléfono: 93 404 58 90.

b) ¡¡Oportunidad!! Venta de edificio de oficinas. 700 metros cuadrados, totalmente reformado según ley. 540 000 euros. Particular. Teléfono: 660 73 64 92.

c) Nueva sede señorial. Alquiler de oficinas y aulas totalmente equipadas. Domiciliación y recepción de llamadas. Equipamiento informático. Televisión y vídeo; cañón y proyector de transparencias. Alquiler por días, meses y años. Teléfono: 93 348 89 90.

d) Vendo nave en polígono industrial. 300 metros cuadrados. 534 597 euros. Teléfono: 93 579 02 76.

e) Centro de negocios en palacete muy representativo. Domiciliación de sociedades, despachos amueblados, sala de reuniones, líneas ADSL, aparcamiento propio. Metro Gran Vía. Teléfono: 91 607 40 52.

D.1. b) Escuchen y subrayen los argumentos de la empresa (p. 47).

Buenas tardes, señores.

Como saben ustedes, hemos convocado esta reunión para comunicarles el proyecto que nuestra empresa piensa poner en marcha a primeros de año.

Ante todo quisiera subrayar que se trata de un proyecto de teletrabajo pionero en nuestro sector, si bien se calcula que existen más de diez millones de teletrabajadores en la Unión Europea, de los cuales 150 000 están en España, fundamentalmente en la banca y otras empresas de servicios.

El teletrabajo supone importantes beneficios, desde mi punto de vista, con un incremento medio de la productividad de los empleados en torno al 20%. Bueno... no me malinterpreten ustedes, porque el beneficio no es sólo para la empresa. De acuerdo con los expertos, la calidad de vida de los teletrabajadores también mejora, gracias a la flexibilidad de horarios que permite y la eliminación de los desplazamientos. Estoy convencido de que a ninguno de ustedes le importaría dejar de madrugar...

Claro que, por otra parte, está el cambio cultural que implica y la barrera tecnológica que hay que superar.

Para explicarles todo el proyecto está con nosotros el señor Ribera, Consultor de Recursos Humanos. Después de su intervención, abriremos un turno de palabra para aclarar dudas. Cuando guste, señor Ribera.

EPISODIO 3
En el banco

SECUENCIAS DE LA VIDA REAL

D. Permanezca a la escucha.

1. Escuche e indique la intención de las intervenciones de los clientes de un banco (p. 57).

a) Me preocupa la jubilación. ¿Podría aclararme algunos detalles del plan de pensiones de este folleto?

b) Me han hablado de una cuenta especial que permite ir ahorrando para adquirir una casa. Me gustaría saber el tipo de interés que da, los plazos, las obligaciones y la fiscalidad. En fin, las condiciones generales de contratación de la cuenta.

c) Acabo de recibir el extracto de mi cuenta corriente y creo que hay un error porque me han hecho un cargo de 1000 euros de un crédito que no tenían que cargar hasta el mes que viene.

d) Quisiera invertir algunos ahorros en la Bolsa, pero es la primera vez y no estoy muy segura de lo que hay que hacer. Voy a invertir sólo 12 000 euros porque no quiero correr riesgos.

e) La semana próxima voy a viajar a Filipinas y Japón y no sé qué medio de pago es más conveniente, ¿dólares o yenes?

ENCUADRE GRAMATICAL

B.1. Usted trabaja en un banco y tiene que informar a un cliente sobre los planes de pensiones. Escuche la información y tome notas para informar al cliente (p. 60).

Los planes de pensiones son una de las formas más seguras de inversión y la forma alternativa para ahorrar a largo plazo. Además, no suponen un gran desembolso.

Es una fórmula de ahorro destinada a complementar los ingresos procedentes de la jubilación. Por este motivo, el dinero depositado no se puede recuperar antes de ese momento, salvo en casos excepcionales.

La ventaja más importante es la desgravación fiscal que permite pagar menos impuestos a Hacienda.

El inicio de la operación depende de la edad. Teniendo en cuenta que la media de edad de jubilación es los 65 años, es mejor empezar a los cuarenta que a los cincuenta.

La oferta es muy amplia y se puede elegir entre planes de renta fija, variable o mixta.

Por otra parte, es un mercado tan complejo e inestable que conviene tener más de un plan de pensiones, en una o en varias entidades. Así, se podrá controlar mejor la proporción de renta fija y variable y, si no le convence ni la gestión ni la rentabilidad que está obteniendo con su plan de pensiones, puede cambiar a otro sin problemas.

D.2. Escuche la presentación del Director General de una entidad bancaria y anote los datos siguientes para redactar un resumen del acto (p. 63).

Somos la cuarta entidad crediticia del sistema financiero. Nadie duda de que somos expertos en financiación de viviendas. Más de un 43% de nuestros créditos se destinan a la adquisición de este bien de primera necesidad.

Disfrutamos de una importante experiencia en el tratamiento de productos básicos en banca comercial, como son la financiación de la vivienda, las domiciliaciones de pagos y la nómina, entre otros. Fuimos pioneros en algunos de estos productos, pero tenemos que hacer un esfuerzo en tecnología para responder con rapidez y flexibilidad a las demandas de nuestros clientes.

El elemento humano fue decisivo para mejorar los resultados, si bien, lamentablemente, no todos los empleados pudieron continuar en nuestra institución.

En el presente año incorporamos 60 nuevas oficinas y contamos con 2 000 cajeros automáticos. Sin embargo, nuestra red de oficinas tiene un nivel inferior al de otras entidades, lo que constituye una debilidad que hay que superar.

En cuanto a los medios de pago, logramos un importante volumen de facturación con tarjetas VISA de emisión propia. Para consolidar esta situación privilegiada como emisores de tarjetas de débito y de crédito, hicimos el lanzamiento de tarjetas-monedero electrónico, con lo que se alcanzó una cifra de casi medio millón.

Actualmente, contamos con una cifra de clientes próxima a los ocho millones de personas. Se trata de una clientela fiel. No obstante, existe la amenaza de la fuga a otras entidades. No sólo hay que evitar esta huída mediante la variedad de oferta, calidad y servicio, sino que nuestro objetivo para los próximos cinco años será conservar la clientela y aumentarla en un millón de clientes.

SE RUEDA

A.2. Escuche y complete el cuadro sinóptico de la conferencia sobre el Sistema Financiero Español (p. 64).

El Sistema Financiero Español está constituido por un conjunto de organismos y entidades cuya función es canalizar el ahorro hacia la inversión y financiar las actividades productivas, comerciales y bancarias. Los intermediarios financieros son los agentes principales del SFE y se pueden clasificar en dos grandes bloques: el sistema bancario -formado por el Banco de España, la banca privada y las cajas de ahorro- y otras instituciones financieras, como las compañías de seguros, las entidades de gestión de planes de pensiones y las bolsas de valores, sociedades y fondos de inversión.

La finalidad de estos organismos es ofrecer a los ahorradores las condiciones de seguridad, rendimiento y liquidez, canalizando el ahorro a través del sistema de forma que los inversores tengan las condiciones adecuadas de cantidad, precio y plazo.

Los Ministerios de Economía y de Hacienda son los encargados de dictar las normas del funcionamiento del Sistema Financiero Español. El desarrollo de estas disposiciones se realiza a través del Banco de España, que es la autoridad monetaria, autónoma del poder político, cuyas funciones son: emitir billetes de curso legal, la deuda pública y regular e inspeccionar la actuación de la banca privada.

La Dirección General de Seguros regula todo lo relacionado con las entidades aseguradoras y gestoras de planes de pensiones. La misión de la Comisión Nacional del Mercado de Valores (CNMV) es la supervisión e inspección de los mercados de valores.

EPISODIO 4
Productos y servicios

SECUENCIAS DE LA VIDA REAL

D. Permanezca a la escucha.

1. Escuche la entrevista y complete la ficha con los datos más relevantes de la firma (p. 75).

♦ ¿Cuándo se fundó LOEWE?

• En 1846, un alemán cautivado por la inspiración española, abrió su taller de trabajo en piel, en Madrid. Desde entonces hasta 1996, la empresa ha permanecido en manos de la familia Loewe.

♦ ¿Quién es el propietario actual?

• Desde 1996, Louis Vuitton controla el 100% de la sociedad.

♦ ¿Cuáles son las señas de identidad de LOEWE?

• Somos una de las firmas más emblemáticas de la industria española que siempre se ha caracterizado por el lujo, la calidad, la creatividad y la internacionalización.

♦ ¿Cuáles son los objetivos para esta nueva etapa?

• A partir de 1996, se ha puesto en marcha un proceso de modernización de imagen y de renovación de nuestra líneas de productos, por dos razones: por una parte, para garantizar la buena evolución de las ventas y, por otra parte, porque nos proponemos acercarnos al público joven.

♦ ¿Cómo van a llevar a cabo esa renovación?

• Mediante una publicidad más agresiva y el rediseño arquitectónico de los 80 establecimientos de nuestra firma. También, hemos contratado un publicitario para que la imagen de la marca tenga un aire más moderno, más dinámico y sensual.

♦ ¿Nos puede adelantar sus planes para el futuro?

• Nuestros planes tienen tres líneas de actuación: política de producto, internacionalización e innovación. Por lo que respecta al producto, continuaremos con la línea prêt-á-porter mujer, la marroquinería, los pañuelos y las corbatas y, naturalmente, los bolsos y los perfumes. Sin embargo, queremos desarrollar y consolidar el prêt-á-porter hombre.

♦ ¿Y en lo que respecta a la internacionalización?

• Bueno... hace 25 años que estamos presentes en Japón y en Europa. Ahora la expansión de la firma se hará mediante la apertura de más tiendas en Europa y en los mercados norteamericano y latinoamericano.

♦ Y, finalmente, la innovación.

• Sí. Deseamos profundizar en las tendencias innovadoras de la firma, en lo que respecta a calidad, escaparatismo e imagen. Hay que recordar que nosotros fuimos los primeros en incorporar otros colores a la piel (rojo, azul y verde, frente a los tostados, los marrones y los *beiges*) y nuestro grado de calidad nos ha llevado a fabricar productos de otras marcas de lujo como CARTIER, ESCADA o DUNHILL.

ENCUADRE GRAMATICAL

B.1. Escuche las siguientes reclamaciones y complete los espacios (p. 78).

a) ¡Qué fastidio! Cuando llegué a casa lo enchufé, pero seguía sin funcionar.

b) Hasta que no presenté el seguro de la vivienda, no me concedieron el crédito hipotecario.

c) ¡Por fin iba a disfrutar de mi coche nuevo! Pero, antes de recorrer 500 metros, el coche empezó a arder.

d) A medida que abría la lata de espárragos, iba notando un olor muy raro.

e) Exigí el libro de reclamaciones en cuanto que vi el hotelucho aquel en el que nos iban a alojar. ¡Qué espanto! ¡Qué asco!

C.1. Escuche las reglas que se deben tener en cuenta para crear un nombre comercial y relaciónelo con cada ejemplo (p. 79).

El nombre comercial es un elemento emocional y estratégico que afecta a la apreciación que los consumidores tienen del producto. Por tanto, la regla número uno es buscar un nombre llamativo. El nombre no tiene que tener significado relacionado con el producto. Por ejemplo, se eligió APPLE (manzana) porque se quería reflejar la relación hombre - máquina.

Regla número dos: hay que elegir un nombre fácil de pronunciar, UMANO, por ejemplo. Aunque, a veces, se utilizan nombres como VOLKSWAGEN o SCHWEPPES.

Tres: Se prefieren los nombres cortos y sencillos, creados mediante siglas (ABC, IBM), nombres o apellidos (DANONE, MERCEDES, FERRARI), onomatopeyas (KODAK), letras o números, como el turrón 1880.

La regla número cuatro es que no deben tener dobles significados. En algunos casos se tiene que cambiar el nombre de una empresa o de un producto porque, en otros países, evoca ideas ambiguas, desagradables o chistosas, Por ejemplo, el coche NOVA tuvo que cambiar su nombre porque en español significa que no funciona.

Quinta regla: deben ser eufónicos, es decir, sonar bien. Por ejemplo, MICHELÍN o NISSAN.

Sexta regla: Además, el nombre debe ser creíble. Se trata de sugerir las características que refuerzan la función del producto. Por ejemplo el dentífrico PROFIDEN, recuerda que es en beneficio de los dientes.

Siete: se deben buscar sensaciones simbólicas positivas, es decir, el nombre debe ser evocador. Por ejemplo, ZUMOSOL, relaciona el producto con el sol, el color, el calor, los beneficios de la naranja y del sol.

Finalmente, la regla número ocho es que hay que evitar nombres descriptivos (galletita, yogur, ordenador), porque el nombre tiene que distinguir el producto y no describirlo. Por ejemplo, SAN MIGUEL.

EPISODIO 5
Reuniones de negocios

SECUENCIAS DE LA VIDA REAL

D. Permanezca a la escucha.

1. Escuche la conversación entre Mauricio Duarte y Mercedes Álvarez e indique la respuesta correcta (p. 91).

◆ Buenas tardes. Soy Mauricio Duarte. He quedado citado aquí, a las cinco, con la señora Álvarez.

• Señor Duarte, de PORTULAR, ¿verdad? Soy Mercedes Álvarez. Encantada de saludarle personalmente. ¿Qué tal el viaje?

◆ Muy bien, gracias. Afortunadamente, no hace calor en esta época del año.

• ¿Le apetece un café o un té?

◆ No, gracias. He tomado café en el hotel.

• Pues, si le parece, nos sentamos y hablamos del objeto de su visita.

◆ Ante todo, deseo comentarle que quedamos muy favorablemente impresionados por el colorido y diseño de sus sofás y tresillos de su catálogo para la presente temporada. Por esa razón, decidimos aceptar su amable invitación para visitarles en su *stand* y, así, poder hablar personalmente de su oferta.

• Nosotros también le agradecemos su visita y esperamos que sea positiva para ambas partes. Esto... En su fax ustedes nos decían que estaban interesándose particularmente por nuestros modelos Guadarrama y Escorial.

◆ Efectivamente. Aunque nos interesan también otros modelos de calidad media-alta, de momento, queremos centrarnos en ambos modelos, ya que pueden tener una gran aceptación entre nuestra clientela. Por ello, les pedimos una oferta para hacer un pedido de cincuenta sofás, modelo Guadarrama, referencia 16864-82, veinte tapizados en carmesí, quince de rayas granate y crema y quince en color azul azafata, así como veinte tresillos, modelo Escorial, referencia 7829-03, cinco con tapicería color pizarra y quince de color arena.

• Esto..., quedamos en que ustedes los recogerán en nuestro almacén, es decir EXW.

◆ Eso es. Incoterm EXW y recepción a mediados de diciembre.

• Un momento... Hum... ¿Podría quedar fraccionada la entrega? Quiero decir, la mitad a mediados de mes y la otra mitad al cabo de veinte días.

◆ De acuerdo. En cuanto al precio de venta... Por ejemplo, el sofá tiene un precio de catálogo de 751 euros más el IVA, claro. ¿Qué descuento están pensando aplicarnos?

• Como usted sabe, el descuento depende de las condiciones del pedido...

◆ Estamos hablando de un pedido en firme y previsiblemente, otro el mes que viene. Además de otros productos que están ustedes presentando en esta Feria... Por otra parte, nuestra forma de pago es crédito documentario irrevocable a través del Banco Espirito Santo.

• En las primeras transacciones, casi siempre aplicamos un 10% de descuento pero, creo que podremos llegar a un acuerdo satisfactorio para ambas partes y dejarlo en el 12%. ¿De acuerdo? ¿Le apetece ahora un café, o sea una *bica*, o un *chá*, como dicen ustedes?

◆ De acuerdo. Será un placer para mí.

3. Escuche y complete el correo electrónico que Mercedes Álvarez ha enviado a su jefe (p. 91).

Luis:

La entrevista de esta tarde con Duarte, de PORTULAR, ha ido muy bien.

El señor Duarte me comentó que nuestro catálogo les había impresionado favorablemente y que deseaban hacer un pedido en firme de cincuenta sofás Guadarrama, y veinte tresillos Escorial, siempre y cuando la entrega fuera a mediados de diciembre. Le propuse fraccionar la entrega y, finalmente, aceptó.

En relación con el precio, le ofrecí un descuento del 10% si bien le di a entender que se incrementaría este descuento en las próximas transacciones. Finalmente, acordamos un descuento del 12%. Por lo que respecta a la forma de pago, me propuso crédito documentario irrevocable.

Sobre la Feria, te diré que está yendo muy bien y que hay buenas expectativas, pero yo sigo soñando con las vacaciones que me vas a dar cuando termine.

Un saludo,

Mercedes Álvarez

ENCUADRE GRAMATICAL

C.2. Escuche la presentación de una Consultoría de Proyectos de Comercio Electrónico (p. 97).

Buenos días. Me llamo Ramón Núñez y soy el Director de *Marketing* de COMERCIO GLOBAL-E.

Como ustedes saben, la sesión de esta mañana está dedicada a la exposición de las estrategias para desarrollar un negocio en la Red y las soluciones que nuestra empresa pone a su disposición.

En la actualidad, hay más de 900 millones de páginas *web*. Así que para que una página destaque de otra, hay que aplicar conceptos de *marketing* y promoción de forma adecuada y eficaz.

En la pantalla vemos algunas estrategias de éxito de negocios en Internet. Por ejemplo: concretar la oferta y ampliarla después. Así lo hizo Amazon, que empezó con libros y, luego, introdujo música y juguetes. Otras posibilidades son proponer algo único, incorporar contenidos útiles y ofrecer buenos precios.

En COMERCIO GLOBAL-E estamos en condiciones de desarrollar su producto. En primer lugar, les ofrecemos soluciones personalizadas para la integración de su tienda *on line*, con la imagen adecuada y unos diseños vanguardistas. En segundo lugar, gestionamos su *web* de manera que sea un espacio vivo y dinámico. En tercer lugar, les garantizamos un acceso a la Red sencillo, rápido y con la máxima seguridad. Cabe añadir que nuestro Departamento de I + D nos permite atender sus exigencias y necesidades con un enfoque eficaz.

En pocas palabras, ejercemos de agentes suyos en la Red, con un sólido sistema de información y con las mejores soluciones de pago seguro.

Muchas gracias por su atención y quedo a su disposición para cualquier aclaración o consulta que deseen plantearme.

SE RUEDA

C.A. ¿Es importante la comunicación no verbal en las negociaciones? Escuche y relacione las observaciones (p. 102).

¿Sabe usted que el 55% del mensaje del negociador es percibido de forma no verbal? ¿Y que sólo un 7% depende de lo que se dice y un 38% de cómo se dice?

Sin embargo, la importancia de los gestos no es la forma en que se gesticula, sino el hecho de que los gestos coincidan con lo que se quiere expresar. Si nuestros gestos contradicen nuestras palabras, el mensaje recibido es diferente del que enviamos. Hay una serie de gestos significativos, por ejemplo estrechar la mano efusivamente, puede destruir el efecto buscado. Tocarse la cara puede significar que no se es ingenuo. Pasarse la mano por la barbilla, indica que se está tomando una decisión. En ese momento, no es bueno interrumpir al interlocutor. Si alguien cruza los brazos, es casi seguro que va a decir *no*.

EPISODIO 6
Viaje de negocios

SECUENCIAS DE LA VIDA REAL

D. Permanezca a la escucha.

1. Escuche la introducción de las Jornadas del ICEX (Instituto de Comercio Exterior) sobre "Cómo rentabilizar la participación en una feria" y complete las notas (p. 109).

Si bien todo el mundo sabe que las ferias son un instrumento fundamental de promoción, no cabe la menor duda de que el dicho castellano de que "cada uno cuenta la feria según le va" es plenamente válido en el terreno comercial.

Es lógico que una empresa valore una feria concreta analizando los resultados obtenidos, aunque muchas veces estos resultados dependen de la forma en que se ha preparado, desarrollado y aprovechado la participación en la misma.

Por tanto, hay que considerar estas tres fases:

Preparatoria, en la que se establecen los objetivos de la participación.

Desarrollo, donde lo más importante es la recogida de información (cantidad y calidad).

Explotación de los resultados, es decir la utilización de la información recogida.

La primera cuestión es seleccionar convenientemente la feria, según criterios de antigüedad, especialización, número de expositores, precios, etc. Si bien en todos los sectores hay ferias que no requieren análisis porque son líderes a escala mundial.

El paso siguiente es definir los objetivos, según la estrategia de cada empresa: generar ventas, lanzar nuevos productos o servicios, testar la respuesta del mercado, captar o fidelizar clientes, estudiar el mercado, introducirse en el mercado, impulsar una imagen corporativa.

La fase más importante de la participación en una feria es la de la exposición, aunque se desarrolla en un breve espacio de tiempo. Por ello, es conveniente cuidar la imagen del *stand* y del personal que va a estar en éste.

Una vez finalizada la feria, hay que explotar muy rápidamente la información recogida y los contactos efectuados.

ENCUADRE GRAMATICAL

C.1.b) Escuche y relacione cada fase de la preparación con las recomendaciones de cómo hacerla (p. 113).

1) Planifique la presentación cuidadosamente. Así, se sentirá más seguro y sin nervios.

2) Es conveniente que prepare su intervención teniendo en cuenta los objetivos que pretende: informar, persuadir, enseñar, divertir, etc.

3) Sin saber el perfil del público meta, número de asistentes, nivel de conocimientos y expectativas, es difícil preparar una presentación.

4) Conforme anote las ideas que se le ocurran, seleccione las más importantes. Sea muy selectivo.

5) La presentación debe ser clara, coherente y según lo exige el orden lógico: saludar a la audiencia, introducir el tema y los objetivos de la presentación, exponer características y ventajas, proporcionar información o detalles complementarios, recapitular los puntos fundamentales, agradecer la atención prestada, invitar a hacer preguntas.

6) Prepare transparencias, un documental en vídeo o una presentación con *power-point*, de modo que la información sea más fácil de comprender. Diez minutos antes de su intervención, revise todos los recursos que vaya a utilizar.

7) Practique la presentación, controlando el tiempo, la voz, la entonación y el lenguaje corporal.

D.1. Su empresa va a participar en la feria de Guatemala. Escuche para completar la ficha de viaje y compare sus datos con los de sus compañeros (p. 114).

♦ ¡Hola, Zaira! Soy Carlos de Viajes MAX. Quería confirmarte la reserva del viaje a Guatemala.

• Aunque yo no soy Zaira, puedes darme los datos.

♦ Perdona. Tenéis la voz idéntica.
Mira, te confirmo dos plazas en *business*, o sea clase preferente para los señores José Ceballos y Miguel Induráin 15 de octubre, Miami-Guatemala, salida a las 16:45 y llegada a las 18:20, en IB 6111.

• ¿Y el regreso?

♦ La vuelta es para el día 21 de octubre, Guatemala-Miami a las 12:30, llegada a las 15:50, en IB 6110.

• ¿Tienes ya reservado el hotel, también?

♦ Sí. Apunta. Hotel Gran Tikal, es semilujo. Entrada el día 15 de octubre y salida el 21.
En cuanto al coche de alquiler, si bien no me lo han confirmado, creo que no habrá problemas para tomar uno en el aeropuerto de El Petén.

• Muy bien. Muchas gracias.

♦ Otra cosita... Tus jefes querían saber algo del clima. En octubre es la estación lluviosa y cálida, con una temperatura media de 20º C.

• ¡Qué completo! Muchísimas gracias, Carlos.

♦ A ti Zaira. Adiós.

D.2. a) Escuche y señale en la carta los platos y bebidas que piden los comensales. (p. 115).

Camarero: Buenas tardes. ¿Qué van a tomar los señores?

Mario: ¿Qué nos recomienda?

Camarero: Nuestra especialidad es el marisco y el pescado, especialmente el bacalao.

Ana: ¿Y de carne?

Camarero: El cordero está muy rico, a pesar de que no es la temporada.

Mario: Yo tomaré langostinos a la plancha y cordero al horno. ¿Y tú?

Ana: Pues, yo un cóctel de marisco y solomillo a la sevillana, aunque no quiero engordar.

Camarero: Muy buena elección. ¿Y para beber?

Mario: ¿Tinto o blanco?

Ana: Yo creo que una botellita de Ribera del Duero.

Mario: Pues eso. Y por más que no queramos engordar, traiga un plato de jamón para empezar.

Camarero: Muy bien señores.

SE RUEDA

B.1. a) Escuchen y tomen nota de las condiciones de contratación de servicios (p. 117).

Para participar en una feria sectorial como expositor, se debe solicitar la carpeta de contratación de servicios y formalizar la solicitud de espacio, cumplimentando los formularios de contratación con el tipo de *stand*, mobiliario y servicios que se contratan (telecomunicaciones, agua, electricidad, limpieza, azafatas, seguros).

Los formularios hay que enviarlos vía fax a SERVIFEMA, recordando que la fecha límite finaliza un mes antes del comienzo del certamen.

La tarifa de los servicios se abonará en metálico o mediante cheque bancario conformado o transferencia bancaria. Remitiendo, en este último caso, duplicado de la transferencia.

En caso de anulación de servicios dentro de los quince días anteriores al comienzo del certamen, se abonará el 40% de la tarifa correspondiente.

No se puede garantizar la prestación de aquellos servicios que sean solicitados fuera de plazo y sus tarifas se incrementarán en un 25%.

B.2. a) Escuche las informaciones prácticas y complete la ficha (p. 117).

Documentación: para entrar en España es necesario presentar el pasaporte vigente. Los ciudadanos de los países de la Unión Europea pueden presentar el carné de identidad o el pasaporte.

Asistencia sanitaria: los ciudadanos asegurados en los países de la Unión Europea y aquellos con los que España tiene convenios bilaterales, podrán solicitar asistencia sanitaria en los centros públicos de salud.

Clima: el clima de la capital es continental, con inviernos fríos y veranos calurosos. Si viene a Madrid en invierno, es recomendable que incluya ropa de abrigo. Si viene en verano, la ropa cómoda y deportiva es más apropiada.

La temperatura media máxima es de 10º C. en invierno y 30º C. en verano. La temperatura media mínima en invierno es de - 1º C. y 15º C. en verano.

Husos horarios: en la Comunidad de Madrid, al igual que en el resto de España (excepto Canarias) se aplica el huso correspondiente al meridiano de Greenwich, incrementado en una hora en invierno y en dos horas en verano.

Electricidad: en todo el territorio español, la electricidad es de 220 voltios y los enchufes y aparatos son de dos patillas cilíndricas, con toma de tierra lateral.